中公文庫

それからはスープのことばかり考えて暮らした

吉田篤弘

中央公論新社

装幀・本文デザイン　吉田浩美・吉田篤弘
（クラフト・エヴィング商會）

それからはスープのことばかり考えて暮らした

サンドイッチ

茶色の紙袋に白いインクで数字の「3」がひとつ刷ってある。

この町に越してきたばかりのころ、すれ違う人が、皆、その紙袋を抱えているのがなんとも不思議に思えた。「1」や「2」や「4」はなく、ただ「3」だけが、乾いた紙の音をたててすれ違ってゆく。

「ああ、あれはね」

——ある日、意を決してアパートの大家さんにたずねてみると、

「サンドイッチ屋の袋なのよ」

あっさりと答えが返ってきた。

「わたしも何回か試してみたけど、なかなかおいしいわよ」

大家さんは、その名も大屋さんといって、アパートの最上階にひとりで暮らして

いた。

「オーヤのオーヤよ。覚えやすいでしょ」

商店街で買った人形焼きを手みやげにし、御挨拶に伺うと、オーヤさんはそう言って涼しい顔のままさらさらと笑った。昔のフランス映画に出てくる中庭と屋根裏の付いた古アパートのマダムみたいで、気どりがなく、ちょっと豪快なところもある。年齢は訊いてみないとわからないが、もちろん訊いていない。今はひとり暮らしのようだけれど、かつては御主人や家族がいたのかもしれない。そこのところも、まだ訊いていない。

「あなた、お名前は？」

「大里といいます」

「オーリ？　オーリィ君ね」

リィ、のところがちょっと巻き舌になり、以来、僕の名は、良くいえばフランス映画の主人公ふう、悪くいえば犬の名前みたいになってしまった。もっとも、このごろは犬もレインコートを着るくらいだから、ずいぶん格上げされているのかもしれない。

僕のレインコートはといえば、ただ一着きりしかなく、それもまたずいぶんとくたびれたものだ。

そういえば、この町に来てからというもの、毎日のようにうす曇りの空がつづいて、からりと青空になるわけでもなく、ポツポツひと雨降ることもなく、ぼんやりした雲がただあてもなく漂っている。この次まとめて雨が降ったら、いよいよレインコートを新調しようかと思っているのに、空はいつでもそんな様子でどっちつかずのまま代わり映えがしない。

この町に住もうと決めたのは、郊外の住宅地に似合った二両編成の路面電車がのんびり走っていて、歩いてもゆける隣駅の近くに、学生のころからよく通っていた古い映画館があったからだ。最初は、そちらの町に住もうかとも考えたのだが、自分の住み暮らすところに映画館があると、映画館にゆくときの、あの何ものにも代えがたい高揚が失われてしまう気がした。その点、隣の駅なら近いうえに路面電車に揺られてゆく愉しみも残される。越してきて、まだ一ヵ月とたたないのに、もう、そうして四回も通ってしまった。

じつをいうと僕は失業中の身なので、本当はそんなことをしている場合ではなく、なるべくすみやかにあたらしい仕事を見つけなくてはならない。でも、すぐ隣の駅に、あの映画館の甘い闇があるのかと思うと、いてもたってもいられなくなった。あの輝くスクリーン、あのぎしぎしいう椅子、あのポップコーンのバターの香り。先週など同じ映画を二度つづけて観てしまった。

「オーリィ君、あなた、仕事はみつけたの？」

オーヤさん――屋根裏のマダム、と僕はひそかに呼んでいるけれど――は顔を合わすたびに涼しい顔で、そう訊いてきた。

「いま、探してるところです」

「そう？　あのね、なんでもいいんだけど、お家賃だけはためないようにね」

家賃は前のアパートより少し安いところにしておいた。でも、僕がそこを選んだ理由はそんなことに関係なく、最初に下見にいったとき、隣に建っている教会の白い十字架が、窓からすぐ目の前に見えたからだった。

といっても、僕には何の信仰もないし、アクセサリーとしてロザリオを首からさげるようなこともない。ただ、不動産屋の丸顔のおじさんに部屋に通され、

「どうです？　なかなかいい部屋でしょう？　景色もね……ま、好き嫌いはあるか

もしれないけれど」

そう言って窓をあけてくれたとき、ちょうどうす曇りの空からもれた陽の光が、十字架を柔らかく浮かび上がらせるのが目の前にひろがった。

あ、と思わず声が出て、それからしばらく見とれたままそこに立ちすくんだ。

「押し入れなんかも、ちょっとしゃれたつくりになってましてね——」

あとの説明はあまり頭に入らなかった。

「あの、ここに決めます。ここにします」

口が勝手に動き、直立不動のまま、なんだか十字架に誓う新郎のような格好になってしまった。

前のアパートの窓からは銭湯の煙突が見えていたが、十字架なんてはじめてのことで、考えてみれば町のところどころに教会があるのは知っていても、屋根の上のものをまじまじと見上げたことはなかった。

窓辺に立つと教会の入口が見え、しばらくぼんやり見おろしていたら、うつむいて何か考えごとをしている様子の女性が入ってゆくのが見えた。

何か祈ることでもあるのだろうか。

教会が祈る場所であることを、僕はもう長いこと忘れていた気がする。

＊

商店街は路面電車の駅からしっぽのように生えた短いもので、昔ながらの店が、肉屋、魚屋、くだもの屋、八百屋、菓子屋、文房具屋など、ひととおり揃っている。

そして、サンドイッチ屋。

——なかなかおいしいわよ。

屋根裏のマダムの声が思い出され、なんとなく看板を探りながら歩いてゆくと、商店街のしっぽのいちばん最後に、おまけで付け足されたようにその店はあった。

入口のドアのガラスに白いペンキで「3」と大きく書かれ、その下に「トロワ」とカタカナの三文字が小さく添えてある。さらにその下にもうひとまわり小さな字で「サンドイッチの店」とあり、「朝から夕方まで」とつづいていた。そのとおり本当に小さな店で、裏庭につくった隠れ家か何かに見える。

それにしても「夕方」というのは何時のことをいうのだろうかと、首をひねりつつ店の中をのぞいてみたが、どう見ても、サンドイッチらしきものはどこにも見当たらなかった。売り切れなのだろうか。

　それはそうかもしれなかった。あんなに「3」の紙袋を目にするのだから。あの袋の中には、どれもおいしいサンドイッチがひとつかふたつ、いや、場合によってはみっつくらい入っていて、それを朝から夕方まで沢山の人が夢中になって食べているのだから。そう思うと急に腹が鳴って、あきらめきれずに店の中に目をこらすと、目の端に「ハムのサンドイッチ」という文字が引っかかったような気がした。

　もういちどよく見なおす。

　映画の見過ぎで視力が落ち、どうももうひとつはっきりしないが、店の中にはカウンターらしきものがあって、そこに葉書くらいの大きさのメニューがたてかけてあるように見える。

　いや、間違いない。

　……ハムのサンドイッチ……きゅうりのサンドイッチ……それに、チーズのサンドイッチ……たまごのサンドイッチ……それから、いちごジャムのサンドイッチ……甘いのもあるのか……それに？……じゃがいものサラダのサンドイッチ！

目を細めて文字を追っていたら、いつのまにかその向こうに立っていた店の主人らしき人としっかり目が合ってしまった。

「いらっしゃい」

ガラスごしの声がくぐもって聞こえてきた。仕方なくそろりと頭をさげ、ドアを押して店内に入ると、自分の体重で木の床が、みしみしっと音をたてたのがわかった。といっても、僕は三人いる姉たちに、顔を合わすたび羨ましがられるくらい痩せていて、音が気になったのは店の中があまりに静かだったせいだ。

「あの……」と口ごもっていると、はいどうぞ、というように店主らしき人はうなずいて、さっきのメニューをこちらに手渡して見せてくれた。

ということは、まだ「夕方」にはなっていなくて、サンドイッチは奥の冷蔵庫か何かにしまってあるのだろう。

「ええと、じゃあ、あの、ハムの」

「ハム」

店主らしき人の声は熟していながらもどこか若々しさがあり、顔を見れば、右を向いたときは五十歳なのに、左を向くと途端に二十は若返る感じがした。

「ハムだけでいいですか?」

「あ、いえ。あの、きゅうりと、それに、じゃがいものサラダも。あ、それから、ハムとたまごを袋を別にしてもうひとつずつ」

——それはマダムへのおみやげにするつもりだった。

「できあがるまで少し時間がかかります」

店主らしき人はそう言って奥へ引っこんだが、奥といってもガラス一枚へだてたすぐ向こうで、そこが小さな調理場になっているようだった。ガラスごしに中が覗け、ちょうど横長のスクリーンを眺めている感じがする。

じっと見ていたら、サンドイッチは冷蔵庫から取り出してくるどころか、パンを切り分けるところから始まり、ハムときゅうりもそこでカットされ、手際よくさっさっさっと順にはさまれていった。その一連の作業の手つき、身ぶり、それに顔つきまでもが、いちいち決まっていて、それこそ映画のようだ。

「お待たせいたしました」

完成したものはクレープを思わせる薄紙に包まれ、木のトレイに載せられてこちらのカウンターまで運ばれてきた。それから、あの「3」の紙袋にひとつひとつ丁寧に収められてゆく――。

そのサンドイッチを、僕は自分にとって最高の場所――つまり隣駅の映画館の闇の中で食べることに決めた。上映中のプログラムはすでに三度目だったが、そんなことはとりあえずどうでもいい。

なるべく紙袋の音をたてないよう、手さぐりで中のものを取り出し、手にした順にそのまま食べてゆくことにした。暗いので、口にするまでは、ハムなのか、きゅうりなのか、じゃがいもなのかわからない。売店で買った缶コーヒーのフタを「ぷしり」とあけ、スクリーンから目を離さないよう、手にしたものをがぶりとやってみた。

ところが、それがハムでも、きゅうりでも、じゃがいもでもない味で、思わず手の中のものをまじまじ見ると、ちょうどスクリーンが明るいシーンになって、手もとがぼんやり浮かび上がってきた。

じゃがいものサラダ。

が、口の中には、じゃがいものサラダより数段まろやかな甘みがある。

目はいちおうスクリーンを見ていたが、意識の方はすべて舌にもっていかれ、そのまろやかさが何に似ているか、懸命に記憶を探って言い当てようとしてみた。でも、うまく言えない。とにかく、非常においしいもの。しいて言えば――本当にしいて言えば――本物の栗を練ってつくられたモンブラン・ケーキのクリーム。いや、あれほど甘くはなく、もっと歯応えがある。

それにしても、三度目だからよかったようなものの、サンドイッチの袋をあけてからはまるで映画が頭に入らなくて、ハムの香りに驚き、きゅうりの口あたりに魅了され、ついにマダムの分にまで手をつけて、すべて食べつくしてしまった。映画に夢中になるあまり、何を食べたのか覚えていないことは何度かあったが、サンドイッチに夢中になってスクリーンが霞むなんて信じられない。

――なかなかおいしいわよ。

マダムの声がまたどこからか聞こえてきた。

いや、「なかなか」どころか、僕には人生が変わってしまうほどの味だった。

もっとも暗闇は時として欠点を覆い隠してしまうことがあるので、次の日、僕はまた同じ時間に商店街のしっぽに出かけてゆき、静かに「3」の扉を押すと、昨日と同じようにまた床板をみしみしっといわせた。

「いらっしゃいませ」

店主は昨日と同じ声と顔で、着ている服もそっくり同じそっけない白いシャツのままだった。念のため、昨日と同じものを注文し、それから店主がガラスの向こうに行ってしまう前に、

「どうしてこんなにおいしいんでしょう」

素早く質問をしてみた。

「ああ。それはたぶん、お腹が空いていたのでしょう」

店主氏はじつに飄々としている。

「いや、でも、何かおいしくつくるコツがあるんじゃないですか」

「コツねぇ」

店主氏は少し考え、

「しいて言うと、細い指先をもった人は、コツなんて知らなくても、きっとおいしくつくれます」

そう言って、僕の指先のあたりをそれとなく見ていた。

「指先？」

「どんなに良い材料を使っても、パンに指のあとを残したら駄目です」

思いもよらない答えだった。とつぜん店主の風貌が熟達したマエストロのそれに見え、よく見ると、短い髪に白いものが数本光っていた。

「あの、この店はもう長いんですか？」

そう訊きかけたとき、背中の方でドアのきしむ音がし、僕の体重よりもっと軽い何かが、ほんの少し床を鳴らすのが耳に届いた。

「ただいま」

すぐ横に、まるで店主が子供になって大きなメガネをかけたような少年が立っていた。顔の小ささに比べてメガネが妙に大きい。きっと、あだ名は「メガネ」だろう。僕が彼くらいのときにも、クラスに「メガネ」という物知り少年がいたのを思い出す。

「おかえり」

店主はニコリともせずそう答え、少年はひどくふてくされた顔で訴えていた。

「おなかすいた」

「二階にあがってなさい」

店主が声を落とし、しきりに少年に目くばせをしている。

「あとでまた」

「もう、ピーナツバター・サンドは飽きたよ」

店主は少年から視線をはずしてこちらを見ると、「すぐ、つくります」とガラスの仕切りの向こうに行き、濡れタオルで指先をぬぐってから、昨日と同じように見事な手つきでパンを切り分け始めた。

少年は僕の横に立ったまま調理場の方を見たり見なかったりしている。見るときは、ちょっと睨みをきかせているつもりなのだろうか。が、ガラスの向こうで店主が手を止めてじっと見返すと、ぷいと横を向いて大げさにため息をついてみせた。

「ここのサンドイッチは、すごくおいしいと思うけど」

僕が少年の顔を見ずにそう言うと、彼はわざと大きく口を歪ませ、

「そうですかね」

妙に大人びた口調で、ゆるゆるのメガネをひとさし指で、ぐいと持ち上げ、

「ぼくにはわかりません」

首を振って肩をすくめてみせた。

「また、ぜったいに失敗します。決まってますよ」

店の中に夕方の光が斜めに射し込んで、少年の着ている青いポロシャツの肩のあたりに、ガラスに書かれた「3」が淡い影をつくっていた。

「トロワっていうのはどういう意味？」

本当に知らなかったので、少年の肩を指さしながら訊いてみると、

「トロワはフランス語で3のことです」

どうやら「メガネ」とあだ名される少年は今でもクラス一の物知りのようだった。

「うちは安藤なので」

「ん？」

「安藤っていうんです。アン、ドゥ、で、次がトロワ。フランス語で、いち、にい、さん、のことです」

「ああ、そうか。安藤さんなんだ」

「どうしてそんな寒いギャグを店の名前にするのか、わかんないです。あの親父」

少年はまたメガネをぐいとやり、

「あ、でもマジで親父、イカってるみたいなので、ぼくはもう──」

言い終えぬうちに少年はぺこりと頭をさげ、さっと踵《きびす》をかえして表に出ていった。

「すみません」店主はドアの外に目をやりながらカウンターに戻り、「うるさい奴で」手もとの電卓をカチカチ打つと、静かにサンドイッチを紙袋に入れてくれた。

「アンドゥさんだから、トロワなんですね」

たったいま知ったことをさっそく確かめてみると、

「あいつ、なんでそんなこと」

店主は顔を赤らめ、

「いや、じつをいうと、もうひとつバカげたこじつけがありまして」

さっきの少年とそっくり同じで、口を歪ませながら苦笑いの顔になった。

「この店、私の三つ目の仕事なんですよ。まだ始めたばかりで。前に、二度ばかり失敗をやらかしまして」

「あ、それだったら僕も同じです。仕事を辞めたばかりで」

「本当に？」

「ええ。僕はまだ一度目ですけど」

「私はね、もう二度ですよ。アン、ドゥと。だからこれが三度目の正直。それでサンドイッチなんです。そう言ったら、息子にバカじゃないかって笑われて。怒ってるんですよ、私のこと」

そう言って、アンドゥの安藤さんはさみしげに、ふっふっふっ、と三度ばかり短く笑い、それに重なるようにして、トン、トン、トン、と外の階段をのぼってゆく足音が聞こえてきた。

＊

それから僕はサンドイッチのことばかり考えていた。

安藤さんのサンドイッチは、毎日食べるたび、ちょっとずつ何かが違っている。

毎日といえば、朝、起きると、まずカーテンをあけ、窓の向こうの白い十字架を眺めて煙草を一本吸う。この十字架も雲と光の加減で、日々、表情が変わってゆく。

ときどき鐘が鳴ることがあって、マダムが言うには音を小さめに調節してもらっているそうだが、それでもずいぶん大きな音がして、そのときばかりは少し驚かされる。

「教会の鐘は、どんなときに鳴らしてるんですか?」

マダムに訊いてみたら、

「気まぐれなのよ」

そんな答えが返ってきた。はたして気まぐれで鳴らす鐘などあるだろうか。

あれこれと考えるうちに、また不意に鐘が鳴って、煙草をくわえたまま窓から眺めると、煙の向こうに見おぼえのある青いポロシャツがゆらめいて見えた。

よく見ると、教会の入口にその青シャツの少年は立っていて、鐘を聞いているのか、頭を起こして空を見上げようとしたとき、あの大きなメガネに陽が当たって、一瞬だけ輝きを放った。

間違いない。彼だ。

このあいだと違って、なんだか神妙な顔をしているのがおかしい。

どうしたんだ? 何をしてる?

そう思いながら見ていたら、少年は急に背筋を伸ばし、小さな両手を組み合わせると、教会の方に向きなおって祈りの姿勢をとった。

ほんの数秒のこと。

すぐに彼はあたりを見まわすと、恥ずかしそうに、さっと走り去ってしまった。

僕はそのまま鐘を聞き、少年が立っていたあたりをしばらく見おろしていた。メガネを光らせた陽が、今日はめずらしく雲を制して十字架の向こうに留まっている。

部屋の中に大きな十字の影ができていた。

月舟シネマ

ときどき、自分は映画が好きなのか、それともポップコーンが好きなのかわからなくなる。ひとつだけ確かなのは、映画が面白ければポップコーンもおいしいし、ポップコーンが味気ないと、スクリーンが途端に色を失って見える。

窓口で入場券を手にし、ロビーに足を踏み入れたところでほどよくポップコーンの香りが漂ってくると、それだけでいい映画が始まる予感がする。残念なのは、このごろの映画館のポップコーンは袋詰めの決まりきったものばかりで、いつからか香りを振りまくマシーンの姿を見かけなくなってしまった。その点においても、〈月舟シネマ〉は申し分のない映画館で、いつ行っても、マシーンにつくりたての温かいポップコーンが用意されていた。

「ひとつ」と声をかけると、ポップコーンづくり専門のような青年が手ぎわよく紙カップに盛り、こぼれ落ちそうなのを、席につく前に、ついついひと口つまみたくなる。

たとえば、履き心地のいい靴で散歩をすると、多少冴えない風景でも、どこか心愉しくなるのと同じように、おいしいポップコーンを手にしていれば、少々退屈な映画でも、まぁいいかと気持ちも丸くなってくる。

〈月舟シネマ〉のある月舟町は、小ぢんまりした商店街がひと筋あるだけの静かな町で、町に似合って映画館もひっそりし、派手な看板のひとつも掲げていない。そのせいか、平日の午前の回など、僕を含めて四、五人の客しかいないこともあった。

学生のころは学校をサボってひとりになりたかったから、なるべく空いていそうな映画館を選んだものだったが、いまは、あまりに客席がまばらだと、足もとのあたりに涼しい風を感じて心もとなくなる。

だから、僕の好きな昔の日本映画の特集に、思いがけず沢山の人が詰めかけていると、お客さんひとりひとりの顔をまじまじと見て、なんでもいいから話しかけたくなる。

が、なかなかそんなことはない。僕が好んで観にゆくプログラムが満員だったことは片手で数えられるほどしかなかった。

「よく、飽きないわねぇ」

ある日、〈月舟シネマ〉の帰り道に、たまたま路面電車で乗り合わせたアパートのマダムが呆れたようにそう言った。

「同じ映画を何度も観てるんでしょう?」

僕は本当に好きな映画は何度も繰り返し観る癖があった。

「今日、観てきた『豆腐と喇叭《らっぱ》』は、この五年間で二十五回観ました」

「二十五回? 本当に? それ、そんなに面白い映画なの?」

「観たことないですか?」

「そうねぇ、なんだか題名は聞いたことがあるけれど」

『豆腐と喇叭』は、その名前に必ず「名匠」の冠がつく山下徳二監督の作品で、最も脂の乗った昭和二十六年に撮られた名作であり、さほど映画に詳しくない人でも、一度はその題名を耳にしたことがあるかと思う。

ただ、僕はどこかひねくれたところがあって、世の中が「名作」と謳いあげているものは、とりあえず後まわしにしてきた。

にもかかわらず、後まわしどころか二十五回も観てしまったのは、それなりに理由があってのことだった。

＊

映画だけではなく、夢中になると繰り返す癖は食べることも同じで、食べるたびにおいしさが増してゆく〈トロワ〉のサンドイッチを、僕は毎日欠かさず食べていた。昼過ぎの、少し客の引く時間を見はからって行き、毎日かならず安藤さんに何かしら質問をしていた。

どうしてこんなにおいしいんでしょう？

コツはなんでしょうか。

誰かにサンドイッチのつくり方を教わったのですか——。

安藤さんは、つくり方はすべて自己流で、あとはただ当たり前につくっていると しか答えなかった。が、その「当たり前」が、毎日つづいていることに何より驚かされた。

もちろん驚いているのは僕ひとりではなく、その安定したおいしさが口コミで広がり、客は日ごとに増え、ずいぶん遠くから買いにくる人もあるらしい。

「ありがたいことだけど、手が追いつかなくて」

安藤さんは、おつりの小銭を手渡してくれるときも、百円玉、五十円玉、十円玉の順にきちんと揃えてトレイに並べてくれた。

「うちの親父は、まじめすぎて面白くないですよ」

そう言うのは息子のメガネ君で、店の中で何度か顔を合わせるうち、彼の名がリツ君といい、まだ小学校の四年生になったばかりであることを本人に教えてもらった。背が小さいせいもあって、どこからどう見てもごく普通の少年だが、とにかく言うことだけは、やたらに大人びていて父親も歯が立たない。

「まぁ、まじめなのはいいことですけど」

僕が〈トロワ〉に毎日通っているように、彼は彼で、僕のアパートの隣にある教会にひそかに通っているようだった。

このあいだも、駅前にコーヒーを飲みに行こうとアパートから出たところに彼の後ろ姿があり、身をひそめて様子をうかがっていたら、

「あら、オーリィ君。何してるのそんなところで、こそこそして」

背中の方からマダムの声が聞こえてきた。少年は、はっとなって振り向き、僕の顔を見つけると、小さく驚きの声をあげて、くるりと身をひるがえした。

「あ、ちょっと待って」

呼びとめながら、マダムの「誰なの？」という質問に「友達です」と答え、「いまから一緒にコーヒーを飲みに行くところで」と少年に同意を促すと、

「ぼくはコーヒーなんて飲みませんよ」

彼は表情も変えずに可愛げのないことを言った。

「ジュースならいただきますけど」

「あら、ずいぶん品のいいお友達なのね」

めずらしくマダムが優しげに目を細めると、彼はみるみる顔を赤くし、懸命に眉をしかめてマダムを睨み返した。

「あら、かわいい」

「子供をからかわないでくださいよ」

——これは僕が言ったのではなく、少年が自分でそう言ったのだ。

そのあと駅前の150円コーヒーのスタンドで、彼は「いただきます」ときちんと頭をさげると、オレンジ・ジュースをひとくち飲み、「誘拐とかじゃないですよね」と言って、すぐに「冗談です」とつけ加えた。

僕はコーヒーを口に運びながら、自分が小学四年生のときは一体どんなだったろうと窓の外を眺めて考えた。すると、

「オーリィ……さん？」

マダムの言い方をそっくり真似して、少年が僕の顔を上目づかいに見ていた。

「オオリ」と僕は正しておいたが、彼は面白がって「オーリィ」と巻き舌のところを強調してみせる。そういうところはいかにも子供っぽいのに、なぜか父親の話になると、途端に顔をしかめて「いまの世の中、まじめすぎると疲れるだけです」と大きなメガネを光らせた。

小学四年生のころといえば、僕は草野球とプラモデルに夢中で、「いまの世の中」など考えたこともなかった。

「リツ君だっけ？」

「律義の律だって親父は言ってました」

あの泥だらけの草野球の日々に「律義」なんて言葉、一度でも口にしたことがあったろうか。今だって滅多に使わないけれど。

「リツ君は、普段どんなことして遊んでるの？」

「いえ、遊びとか、ぼくはあんまり興味がなくて」

少年はジュースのストローをコップの中でくるくる回していた。

「じゃあ、何に興味があるの？」

「興味っていうか、気になるのはやっぱり恋愛とかで」

「レンアイ？」

僕は少し声が大きくなっていたかもしれない。

「君、恋愛してるの？」

「ちがうちがう、そうじゃないですよ」

彼はまた顔を真っ赤にし、「ちがうちがう」とあわてて手を振りながら強く否定した。

「興味があるだけです」

そう言って、すかさず「オーリィさんは、どうなんです？」と訊いてきた。「好きな人とかいないんですか？　ふつう、いますよね、オーリィさんくらいの歳になったら」

「いや――」

そのとき僕は、いちおう慎重に考えたのだが、まぁ、彼になら告白してもいいかと、「それはまぁ、いることはいるけど」と、つい口を滑らせてしまったのだ。

「あ、やっぱり。どんなひとですか？」

少年はそれまでぼんやりしていた目を急にいきいきと輝かせ、仕方なく僕は目を閉じて、少しのあいだ「彼女」のことを思い浮かべてみた。

「まぁ、なんというか、あまり目立たないタイプで。でも、背は少し高い方かな。髪は短いけれど帽子がよく似合っている」

「何をしているひとですか？　若いひとですか？　学生とか？」

「いや、若いけれど学生じゃなくて、まぁ働いてるけど……いろんなことをしているというか」

「フリーターですね、いわゆる」

「まぁ、そんなところかなぁ。いまはカフェで働いているんだけど」

「顔はどんな感じですか？　女優とかでいうと、誰に似てますか？」

「女優？　いや、それは難しいな。彼女に似た女優なんて、まず、いないと思うけれど」

「ふうん」

少年はもうひとつ釈然としない様子で、「なんだか、よくわかりませんけど」と口をとがらせて、つまらなそうな顔になった。

「こんど会ったとき、よく見ておくよ」

しょうがなくそう言うと、

「あ、デートがあるんですね」と、また彼は明るい顔に戻り、「それはいつですか？」と取り調べのように訊いてきた。

「いや、ちょっと遠くに住んでいるんで、あまり会えなくて」

「遠距離恋愛というやつですね」

まったくマセたガキだなぁ、と僕がため息をついたら、同じように少年もため息をついて、ジュースの残りを余さず飲みほした。

「いいなぁ、オーリィさんは」

ひとりごとのようにつぶやき、窓ごしに外の様子を眺めていた。

夕方の陽の中を路面電車がゆっくり通り過ぎ、踏切で待たされていた人たちが、いっせいに夕陽を浴びながら歩きはじめた。

＊

そして、二十六回目。

さすがに、われながらどうかしていると思ったが、あの『豆腐と喇叭』が、すぐ隣の町で上映されているかと思うと、やはり、いてもたってもいられなくなった。

僕はかつて仕事をしていたときにもその衝動に襲われ、じつをいうと会社を辞めることになったのも、「いてもたってもいられなくなった」ことが原因のひとつだった。

もう少しつけ加えると、そのとき僕の耳もとで、「いま、お前が居るべき場所は映画館じゃないのか？」と、もうひとりの僕が悪魔のように囁いたのだ。

「お前はいつか、映画の脚本書きになると自分自身に約束したのではなかったか？

あの約束はどこにいった？」

でも、いざ辞めたら辞めたで、結局あたらしい仕事を探さないことには埒《らち》があかなくなった。職探しに行かなければならないのに、また悪魔に誘われて、いつのまにか映画館の椅子に座っている。それも午前中から――。

いてもたってもいられなくて、午前の最初の回を選び、いつものようにロビーでポップコーンを買って館内に入ると、先客はただひとり。左のはじのいちばん後ろの席で、じっと開映を待っている姿があった。

僕もいちばん後ろの席が好きなので、仕方なく右のはじの席につき、ちらりと左はじの人を見るともなく見ると、前にどこかの映画館で見かけた初老の女性だと記憶がよみがえった。

〈月舟シネマ〉の座席は一列が十八席あり、誰も座っていなくても十六人分の隔たりがある。その隔たりに加えて薄暗いせいもあって、はっきり顔は見えなかったものの、たぶん間違いなかった。たしかにどこかで見かけたことがある。おそらく〈月舟シネマ〉ではない別の映画館だろう。そのときと同じ品の良い銀ぶちの眼鏡をかけ、濃い緑色のベレー帽をかぶっていた。その眼鏡と帽子がとてもよくその人に似合って、ある年齢に達した女性だけが持ち得るチャーミングさと、どこか涼しげな目もとが、女性なのに「ダンディ」と言いたくなる雰囲気をかもし出していた。

僕はポップコーンを食べるふりをしながら何度か左はしに目をやり、やがて場内が暗くなると、客がその人と僕の二人きりであることに気がついた。が、いつものような心もとない感じはなく、そのうち何やらいい匂いがしてきたので、何だろうと見まわすと、その人の胸のあたりから白い湯気が漂っていた。匂いの正体はその湯気に違いなく、鼻の記憶がたどった先には、泥だらけの草野球から帰った夕方の食卓が浮かび上がった。

クリーム・シチュー？　いや、それともポタージュ・スープか。

どちらも滅多に食卓にのらなかったが、それだけに印象深いし、ひとりで暮らすようになってからはほとんど口にしたことがなかった。だから、漂ってきたその匂いが、そのまま草野球の土の匂いやグローブの革の匂いへと連想される。

おかげで、映画もポップコーンの味もまるで頭に届かなかった。

どうやらその人は、小さな携帯用ポットに温かいスープを入れて持ってきたらしく、お茶を飲む要領で少しずつ味わっているようだった。その人もそうだったかもしれないが、僕は朝の食事を充分にとってこなかったから、ポップコーンだけでは腹の足しにならず、スープの匂いはやたらと食欲を誘って盛大に腹が鳴り始めた。

その音が十六人分の隔たりを越えて左はじまで聞こえてしまったらしい。いまひとつスクリーンに集中できないまま上映が終わって明るくなると、そのひとは素早く身じたくを整え、僕の方に向かって小さく会釈をしながら、

「ポップコーンだけじゃ、お腹が空くでしょう？　ちゃんと御飯を食べないと」

そう言い残し、涼しげな笑みとともにロビーに去っていった。

まさか声をかけられるとは思っていなかったし、その人があまりにてきぱきとしていたので、それはもう本当に一瞬の出来事でしかなかった。

僕は食べ残したポップコーンを手にしたまま、いぜんとして空腹を感じながら、それからしばらくスープのことばかり考えていた。

＊

次の日、家賃を払いに屋根裏のマダムをたずねると、

「あら、オーリィ君。よかったよかった。あなた映画ばかり観て、ちっとも働かないから、お家賃どうなるのかと心配してたのよ」

マダムは玄関口で腕を組み、「仕事、見つけないとね」と二度ばかり念を押すように同じセリフを繰り返した。

まったくそのとおり。僕はたいして貯金もないし、このままでは家賃もあと何カ月払えるものかわからない。

「そういえば、きのうの夜――」

マダムは僕が手渡した家賃を封筒ごとガウンのポケットにねじこみながら言った。

「観てきたのよ、『豆腐と喇叭』を」

「ほんとですか？」

じつは僕も午前中に二十六回目を観たんです――と喉もとまで出かかったが、そんなことを言ったら、また「仕事を見つけなさい」を繰り返されてしまう。

「どうでしたか？」とだけ訊いておいた。

「そうねぇ」

マダムは何ごとにおいても辛口なことしか言わないところがある。

「まぁまぁってところかしらね。中の下ってところ?」

その「中の下」といぅ評価はきわめて的確で、じつをいぅと、僕も『豆腐と喇叭』は作品として評価するなら、「中の下」くらいかもしれないと、かねがね思っていた。

「少なくとも二十五回も観るようなもんじゃないわよね」

「ええ、まぁ、それはそうなんですけど」

「オーリィ君は、あの映画のどのあたりが好きなわけ? お話は単純だし、役者の演技は揃いも揃っていまひとつだし」

「いや、僕はお話なんてどうでもよくて」

「じゃあ、好きな俳優が出てるとか?」

「ええ、まぁ、そういうことなんですけど」

「そう? 誰? どの役の人? あの主人公の……大輔だっけ? あの豆腐屋の大将とか? ああ、それとも、あのカフェのマダム?」

「いや、あのカフェの――」

僕はリツ君に「彼女」のことを説明したときのことを思い出していた。

「あの、マダムの方じゃなくて」

「マダムじゃなくて、他に誰かいたっけ？」

「いや、ほんのちょっとしか出てこないんで、覚えてなくても当然なんですけど、あの、帽子の似合う髪の短い――」

「ああ、わかった。あの女給さんでしょ？　いつも失敗ばかりしてる」

そう、彼女はいつも失敗ばかりしていた。僕はその失敗ぶりを二十六回も見届けてきたことになる。

「へえ、そうなの」

マダムはめずらしいものでも見つけたように僕の顔を見なおし、「そういうことなの」と、納得したのかそれとも納得しかねるのか、いわく言いがたい複雑な表情になった。

『豆腐と喇叭』の上映時間は1時間52分。

でも、彼女が画面に現れるのは、合計してもそのうちわずか2分12秒間でしかない。それでもまだ長い方で、他の映画では58秒。45秒。31秒。24秒。10秒……。ほんの一瞬、通り過ぎるだけの映画もあった。

でも僕にしてみればその一瞬はいつでも鮮やかな一瞬で、モノクロ画面の中の彼女しか知らないのに、その一瞬だけは、明るい色とほのかな甘い匂いが横切ってゆくように思えた。

ひとめぼれと言っていい。それからもう五年がたつ。

ほんの数秒だとしても、とにかく彼女が出演している映画を探し、上映の機会さえあれば時間をやりくりして日本中どこへでも出かけていった。

主演作は僕の知る限り一本もないし、準主役さえもない。そのかわり、数十秒の脇役は数限りなくあって、いずれも昭和二十年代、戦後の復興の中で粗製乱造された凡作から、『豆腐と喇叭』のような名作に至るまで、ときには名前をいくつか使いわけて出演していた。

ときに三沢葵であり、ときに三原愛子であり。しかし、ほとんどは、松原あおいの名でクレジットされ、もっと他にもあるかもしれないが、いまや遠い昔のことで、いくら調べても不明だった。

遠距離恋愛とはよく言ったものだ。

「オーリィさん、デートはどうでしたか？」

あとでリツ君にそう訊かれたとき、僕はふと十六席を隔てて隣り合わせたスープの香りを思い出し、

「ポップコーンばかり食べてちゃだめって怒られたよ」

そう答えておいた。

電報

もう携帯電話は必要ないと思っていた。

会社を辞めてしばらくすると、まったく使っていないことに気がついた。かけるところもなければ、かけてくる人もいない。仕事で使っていたときも、ただ持たされていただけで、自分からかけることはまずなかった。

そもそもあまり好きではない。

どうも昔の日本映画を観る機会が増えてから、自分の身のまわりの時間が少しずつ逆もどりしているように感じられた。

昔の時間は今よりのんびりと太っていて、それを「時間の節約」の名のもとに、ずいぶん細らせてしまったのが、今の時間のように思える。さまざまな利器が文字どおり時間を削り、いちおう何かを短縮したことになっているものの、あらためて考えてみると、削られたものは、のんびりした「時間」そのものに違いない。

携帯電話がどのくらい時間を短縮してくれるものか知らないが、子供のときに見慣れていた電話は黒くて重たいものだったから、そんなものを持ち歩くのは滑稽に思えて仕方なかった。

二番目の姉からめずらしく電話があったとき、近いうちに解約して、部屋に電話を据え置くつもりだと報告すると、

「いまどき、そんな人いないでしょう?」

二番目の姉は、三人の姉たちの中では、いちばん自分と考え方が似ていたが、さすがに時代遅れきわまりない弟についてゆけないようだった。

というより、姉にしてみれば、弟が自ら「時代遅れ」を望んでいるのが、もどかしかったのだろう。

「とにかく早いとこ仕事を見つけなさい。また仕事を始めたら、きっと携帯が必要になるんだから。そういう世の中なのよ。わかってる?」

それはわかっていた。でも、世の中にはもっと時代遅れな人もいて、僕はその人のことを尊敬しつつあったから、姉の言う「世の中」がどうであれ、その人に学び

たいという思いがどこかにあった。

「その人」とは、サンドイッチ屋の安藤さんのことなのだが。

＊

「ああ、なるほど。電報だな、つまり」

携帯電話を使ってやりとりするメールがどんなものなのか、安藤さんはリツ君の説明をひとしきり聞いて、そんな感想を述べた。

〈トロワ〉の店先でのことで、いつものようにサンドイッチを買いに行った僕は、たまたまその場に居合わせ、リツ君が「携帯がほしい」とねだるのを、安藤さんは「必要ないだろ」と聞き流していた。

「うちには、ちゃんと電話があるんだし」

「だから、電話をするんじゃなくて」

どうやらリツ君は、学校の友達が携帯でメールのやりとりをしているのを見てすっかり感化されてしまったらしい。

「家族で契約すると、さらにおトクです」

コマーシャルの謳い文句まで真似ていた。

「どうして、小学生が電報なんか打つ必要があるんだ?」

父親には、ただ電報としか理解できず、何をそんなに急いで伝えたいことがあるのかと、まるで意に介さない様子だった。実際は電報ほど大がかりではないにしても、まぁ、たしかに急用でもなさそうなのに、やたらにメールを送ったり読んだりしている人たちを電車の中でよく見かける。

「メールと、その電報とかいうのは別のものなんだけど」

リツ君はリツ君で電報のことはよく知らないようだった。が、父親がいつものように時代遅れな喩《たと》え話をしているのは理解できるようだ。

「急いで伝えるためのものじゃなくて」

「ほう、じゃあ、何のために?」

「だから――」

リツ君は、もう何度も説明しているのだろう。

「たとえば、ちょっと言いたいことがあるんだけど、電話するほどじゃないとか、いろいろあって電話をかけられないときとか」

「だから、つまり電報だろう?」

どうしても堂々巡りになり、リツ君はため息をついて、僕の顔をちらりと見た。

(これですよ、うちの親父は。まったく)

いかにもそう言いたげだったが、僕は首を横に振って応えるしかない。

だいたい安藤さんはいつもこんな調子で、時代遅れというより、昔ののんびりした時間の中に悠然と身をおいている希有な人に見えた。ただ、安藤さんにしてみればそれが当たり前で、主義や主張を振りかざすこともなく、好きだからそうしているというノンキさがそこにはあった。ノンキは漢字で「呑気」と書くけれど、まわりの人が勢い込んで大きな声をあげたり、鋭いナイフのようなものを突きつけても、当人はさらりと相手の気迫を呑みこんで、何くわぬ顔であくびなどしている。そのうちにナイフの方が馬鹿馬鹿しくなってきて、いつのまにか玩具のナイフになってしまう。

「あの」

しかし、リツ君もまた父親から呑気さを譲り受けているので、まるで動じることなく説得をつづけていた。

「あの、たとえばですね、言いにくいことがあるときなんかに便利なんです」

「言いにくいこと？」

そこで安藤さんは、それまでと少し顔色が変わり、今度はなぜか安藤さんがちらりと僕の顔を盗み見た。

「ふうむ、なるほど」

初めて納得したようにうなずいている。

「あれ？」

リツ君は、急に父親が「なるほど」などとうなずいたのに拍子抜けし、

「ええと……何かぼくに言いにくいことでもあるのかなぁ」

父親と同じような口調になって、父親がよくそうするように呑気に頭など掻き始めた。

「いや、リツにじゃなくて。まぁ、それなりにいろいろと」

安藤さんも伝染したように頭を掻き、またちらりと僕の方を見ると、それきり、あさっての方角に視線を泳がせて、こちらを見ようとしなかった。こうなると呑気

でいられないのは僕で、「僕に言いにくいことでもあるのかなぁ」と、リッ君の疑問がそのまま自分の声に変わった。

というのも、このごろ安藤さんの様子がどこか妙なので気になっていたのだ。なんとなくよそよそしいというか、まだ知り合って日が浅いのに「よそよそしい」もないけれど、とにかくあまり喋らないし、それでいて何か言いたげに僕の顔をじっと見たりしている。

「うーん……と」

そう言ったきり何も言わなかった。でも、およその察しはついていた。

おそらく安藤さんは、僕がいつまでも仕事に就かず、ただのらりくらりと日々をやり過ごしているのが気に入らないのだろう。

「仕事は決まった?」

店に行くたび必ずそう訊かれ、「いえ、まだ」と僕が言いよどむと、「ああ……」と何か言いたげに口を開いて黙っていた。黙り込む時間が長くなって、しだいに「気に入らない」というより「気にさわる」といった方がいいようなムッツリした顔になった。

こうなると、さすがに何を言われなくても何を言いたいかわかる。働くことは基本で、そこのところをちゃんとしているから「呑気」さも活きてくるのだし、ましてや安藤さんは、三度目の正直で今の仕事を始め、毎日、二人ぶん働いて店を繁盛させているのだから、ぼんやりした顔でサンドイッチを買いにくる僕が気にさわって当然だ。

携帯電話の一件があった次の日、いつものように〈トロワ〉に行くと、また安藤さんが口をつぐみ、それから、「うまくは言えないけれど」と目を合わさないようにしながら、少しずつ途切れ途切れに話し始めた。

「なんというか……私が言いたいのは、うちへ毎日来るんなら、働いた方がいいと思うということで」

声がかすかに震えているようだった。

「つまりその、お客さんをやめてほしいというか」

やっぱりそうかと、思わず背筋が伸びてしまった。

安藤さんはよほど憤慨していたのか、顔を赤くして、やり場のない怒りを持てあましたように、レジの横の砂時計をひっくり返してみせた。

――これは卵をゆでるときに使うんだけど。

以前、そう教えてもらったことがあり、砂が落ちる時間と、サンドイッチの具にちょうどいい固さの卵がゆであがる時間がぴったり同じなのだという。

「それは何分ですか？」

「さあ、正確なところはよく知らないんだけど」

安藤さんは本当に知らないようだった。その何分なのかわからない時間が、砂と一緒にゆっくり落ちてゆく。

「あっという間に時間は過ぎてしまうよ」

安藤さんがそう言うと、静かな店の中に砂がサラサラと落ちる音だけが聞こえていた。

＊

その夜に見た夢で、僕は巨大な砂時計の中に閉じ込められていた。砂漠のようなところに下半身が埋もれ、どうやら8の字型の上の方のガラスの内側にいて、蟻地獄みたいに少しずつ砂が下に落ちていた。助けをもとめたいが、声はすぐに砂に吸い込まれてゆく。

「あっという間に時間は過ぎてしまうのよ」

どういうわけか、二番目の姉がガラスの外からこちらを覗き込んでいた。

「だから言ったじゃない」

よく見ると他のふたりの姉もいて、三人で好き勝手なことを言い合って笑っていた。弟がいましも蟻地獄に呑まれそうになっているのに――。

「だいたい映画の見過ぎなのよ」「それも昔の映画ばかり」「昔は時間が太っていたなんて呑気なこと言って」「結局は、こうして時間に呑まれてゆくのよ」「死んだお父さんが見たら嘆いたでしょうね」「とにかく頭を冷やさないと駄目よ、この子は」「残念だけどね」「もう、さよならね」「残念だわ」「さようなら」

え？　ちょっと待って――。

手を伸ばそうとしたものの、体が砂に引っぱられてどうにも動けない。

とうとう砂が顔を覆い、声にならない叫びをあげたところで砂が布団に成り変わった。毛布が足にからみつき、隣の教会の鐘が聞こえて、鐘の音に重なって携帯電話の呼びだし音が鳴っている。

「もしもし」とぎこちなく電話に出ると、まだ口の中に砂がジャリジャリ残っているかのようだった。

「あれ？　もしもし？」

返ってきたのはどこかで聞いたことのある声で、夢のつづきの姉の声かと思ったが、どうもそうではない。

「あの、オーリィさんですか？」

「ええ、そうですけど」

「あの、リツです」

「ああ、そうか。リツ君の声か」

「すみません、急に電話をかけて」

もし、望みどおり携帯電話を買ってもらえたら、まず最初にオーリィさんのところに電話しますからね——リツ君がそう言うので、僕は彼に自分の携帯の番号を教えておいたのだ。

「とうとう、説得に成功したんだ？」

話を聞いてみると、謳い文句どおり「家族割引」の契約をしたそうで、信じられないことに安藤さんも昨日から携帯電話を使い始めているという。

「本当に？」

「まだぜんぜん使えないみたいですけど」

まるで想像もつかなかった。

「それよりオーリィさん、このあいだ、もう携帯は使わなくなるかもしれないって言ってましたけど」

「そうだね。たぶん近いうちに」

「それを親父に話したら、それは駄目だって。オーリィさんに伝えてくれって。変な親父ですよね。そんなことオーリィさんの勝手なのに」

でも、それはなんとなくわかるような気がした。今の僕にとって「携帯を持たない」ことは、仕事や社会から、さらにもう一歩離れる意味となり、安藤さんの助言と反対の方を向くことになる。

それは駄目だよ――安藤さんはきっとそう言いたいのだ。

電話を切って煙草を一本吸い、窓をあけると、鐘の音はすっかりやんだようで、代わりに頭の上から階上のマダムの声が聞こえてきた。

「オーリィ君も呑気ねぇ」

見上げると、マダムも煙草を手にして窓から顔を突き出していた。僕の部屋からは、まっすぐ正面にあたる教会の十字架を、マダムは見おろすように眺めている。鐘の音でも聞いていたのだろうか。

「うるさいったら、ありゃしない」

少し口は悪いけれど、こう見えてマダムには意外にシャイなところがある。このあいだ、アパートの玄関ですれ違ったとき、〈トロワ〉の紙袋を抱えていたので、

「あ、買ってきたんですね」と声をかけたら、

「大しておいしくもないけど」と、わざと変な顔をしてそう答えた。

「これから僕も買いにいくところなんです」

「あら、そうなの」

急に眉を開き、

「まぁ、ハムサンドなんかはおいしいけど。あと、オムレツとか、チキンなんかもいいかしらね」

よく見ればずいぶんと買ってきたようで、袋がはちきれそうになっているのを重たげに抱えなおしていた。

「それに、あの御主人が、ちょっといい男じゃない？　わたしの勘では独りものよ」

「ええ、そうみたいですね。息子がひとりいますけど」

「あら、そうなの。バツイチか。まぁ、でもいいか。あのね、わたし、ちょっとあの人タイプなのよ。ちょっとって言うか、かなりいいセン。何度かアプローチしてるんだけど、全然、気づかないのよね。そこがまたいいんだけど。オーリィ君からもよろしく言っといて」

ほとんど話半分に聞いていたのだが、お願いね、と念を押されてしまったので、そのあと店に行ったとき、いちおうマダムの風貌を安藤さんに説明しておいた。

「ああ、あのひと。さっきもいらっしゃって、たくさん買ってくれたんだけど、いつも、何か言いたげな顔をして、結局、何も言わなくて。そうか、あのひとがオオリ君の大家さんなんだ」

そう言って安藤さんは、ふうん、とうなずいていた。

僕は、あんなに饒舌なマダムが、いざとなると何も言えなくなってしまう姿を想像し、「かなりいいセン」は、案外、本気なのかもしれないと考えなおした。

だからきっと、教会の鐘もしんみり聞いていたに違いない。ちょっと目が潤んでいたようにも見えたし。大体、そういうときに限って「うるさいったら、ありゃしない」と口が悪くなるようだ。

むずかしい人なんだなぁ、と思う。

*

それからほどなくして、僕の携帯にリッ君から頻繁にメールが届くようになった。

〈メールのテストです。こんにちは。できたら返事をください。安藤律〉

〈オーリィさん、返事を有り難うございました。ありがとうは、漢字に変換すると、こんな字だとはじめてわかりました。安藤律〉

〈こんばんは、最近、オーリィさんがうちのお店に来ていないと、父がそう言っています。父はまだメールを使えません。安藤律〉

〈オーリィさんが、サンドイッチを買いにこないので、父は心配しています。病気になったのかと言ってます。元気ですか？　元気だったらお店に来てください。安藤律〉

病気じゃないよ、と僕はリツ君に返事を打ち、そうじゃなくて、仕事を見つけるまでは〈トロワ〉に行かないことに決めたと、ありのままそう書いて送信しておいた。それは夜おそい時間だったけれど、僕のメールを見て、またすぐにリツ君から返事が送られてきた。

〈どうしてですか？　安藤律〉

いちいち、名前をきちんと書いてくるところが父親に似た性格で、父が息子の名に託した律義さがそんなところに表れているのがおかしかった。笑いながら、僕も律義に少し長めの返事を送った。

〈律君へ。お父さんは、仕事もしないで遊んでばかりいる僕のことを気に入らないようです。お客さんをやめてほしい、と怒られちゃいました。いまは反省して仕事を探しています。でも、仕事をやめて、またあたらしく仕事を探しなおすのはとても大変なことです。それを二度も繰り返したお父さんはとても偉い人です。僕もトロワのような店をつくりたいけれど、力が足りないので無理でしょう。とにかく、なるべく早く仕事を見つけ、またサンドイッチを買いにゆきます。お父さんによろしく。オオリ〉

もしかして、すぐ返事が来るだろうかと、しばらく携帯をテーブルの上に置いて眺めていたが、それきりその夜は着信ランプが点滅することはなかった。

そのときリツ君に書き送ったことはどれも本当で、砂時計に閉じ込められた夢を見て以来、「あっという間に時間は過ぎてしまう」という安藤さんの声がいつもどこからか聞こえてきた。

それに重なって、砂時計の砂がサラサラと落ちてゆく音も聞こえてくる。

もちろんそんなものは空耳だが、そんな空耳が本当に文字になって届いたのだから驚かずにいられなかった。

リツ君に長めのメールを送った次の日の夜、ほとんど毎日のように彼からメッセージが届いていたのに、その日はなかなか届かなくて、たまにはこちらから送ってみようかと携帯を手にしたところで折りよく着信ランプが点滅した。画面を開いてさっそく読み始めると、なんだかいつもとずいぶん様子が違う。

〈オオリサマ。昨日ノ夜、リツカラハナシ聞キマシタ〉

メールはリツ君からではなく、彼の父親からのものだとすぐにわかった。なにしろ電報のような文面が長々とつづいている。

〈オオリ君。ハ誤解シテル。デス〉

まだ慣れていないのか、じつにたどたどしくて読みにくい。

〈私ガ、オ客サンヲヤメテホシイト言ッタノハ、ウチデ働イテホシイ。トイウ意味ナノデス〉

え？

思わず、手の中の携帯電話を見なおしてしまった。

うちで？　働いてほしい？

〈忙シクテ、自分ヒトリデハ手ニ負エナイ。マセン。デキタラ、手ヲ貸シテクダサイ〉

どうやら安藤さんは、ずっとそのことを言いたかったのに、いざ話をしようとすると、どう言っていいものか声を詰まらせていたのだという。マダムと同じで「むずかしい人」なのだ。

そこへリッツ君の携帯電話とメールの話が持ちあがり、「言いにくいこと」を伝えるのにちょうどいいと知って契約したものの、やっぱり使い方がよくわからなくて、あんまりぐずぐずしていると、そのうち僕が別の仕事を見つけてしまうかもしれない、それなら本当に電報を打った方がいいか――そんなことまで考えたようだった。

〈イイ返事ヲ待ッテマス。安藤〉

僕は窓をあけて煙草に火をつけ、ゆるゆると煙を吐くと、また頭の上から「あら、オーリィ君」と、マダムの声が聞こえてきた。

「こんばんは」

見上げながら挨拶をすると、

「あら？　何かいいことあった？」

煙が目にしみて苦い顔になっていたはずなのに、マダムは「顔に書いてあるわよ。すぐわかっちゃうんだから」とニヤニヤしていた。

僕はよっぽどわかりやすい奴なのだろう。

夜鳴きそば

このところ僕は水曜日を除いて毎日のように耳を切り落としていた。

二番目の姉に電話でそう報告したら、「なんだか、恐ろしい仕事ねぇ」と笑われてしまった。耳は耳でもサンドイッチの耳なので、ちっとも恐ろしくはないけれど、想像以上に難しいものではある。

コツが必要なのだ。そのコツのために、また別のコツがあって、コツが何重にも重なって、なんともややっこしい。それを複雑なダンスを覚えるように身につけ、するすると自然にこなすようにならないと、思うようにパンを切ることができない。

「ここで失敗したら、ぜんぶ台なしだからね」

安藤さんの言うとおり、そこまで上手くできても、最後に落とした耳の切り具合で、食べる側の最初のひと口の印象がずいぶん変わってしまう。

スパッといさぎよく切れていること。それでいて、無機質な印象にならないこと。それがおいしいサンドイッチの口あたりになる。

「食べる方は最初が肝心だから。そうなると、つくる方は最後が肝心になる」

その「肝心」を、安藤さんはいきなり初心者の僕に任せてくれたのだ。当然、最初はまるで上手くゆかなくて、どうしてこんな大役をと不思議に思ったが、安藤さんにはそれなりに考えがあったらしい。

「オオリ君の指先は細くて丸い。やわらかいパンを扱うのにちょうどいいんだよ」

そういえば安藤さんはいつだったかもそんなことを言っていた。パンに指のあとを残しては駄目だと。

でも、いくら指先が細くても、耳を落とすときにはパンを揃えて押さえつけなくてはならないし、そうなるとビニールの手袋をつけていても、やはりパンの表面にあとがついてしまう。

「道具を使う人もあるようだけど、私が目ざしているのは、お母さんのサンドイッチだから」

〈トロワ〉で働くようになって、僕が何度か耳にしたのが、その「お母さんのサンドイッチ」という言葉だった。

「ぼくにはよくわかりません」

たまたまそれを聞いていたリッ君が、いつものようにそんなことを言い出した。

火曜日の夕方近く、そろそろお客さんがまばらになってきた頃あいで、学校から帰ってきたリッ君が、調理場に入って来て、これも毎度おなじみという感じで「お腹が空いた」を繰り返していた。

そのときちょうど僕と安藤さんは「母親のつくってくれたサンドイッチ」について、それぞれの記憶をたどりながら「たしかこんな感じ」と話し合っていたところだった。

「とにかくやわらかくて、白くて、それにどことなく甘さがあった」

それが安藤さんの記憶にある「お母さんのサンドイッチ」で、僕のはもっと現実的で、具がたっぷり入っていて、パンも分厚いし、耳だって切らないままだった気がする。

「いいなぁ、二人とも」

リッ君が、つまらなそうな顔をしてぼそりとつぶやいた。

「ぼくはずっと親父のサンドイッチばかりですよ」

安藤さんは何も言わず、僕は二人の様子を見くらべながら、どう言っていいかわからないまま、

「よし、今日はおごってあげよう」

リツ君にそう声をかけると、「やったぜ」と小さな声が返ってきた。

「いいですよね？」と安藤さんに許可をいただくと、父親は「しょうがないなぁ」とリツ君を横目で見ていた。

「じゃあ、今日はそのまま引きあげて。それと、明日は定休日だからね、先週みたいに店に来たりしないこと」

しっかりと釘を刺されてしまった。

＊

「ラーメン」

何を食べたい？　と僕がまだ訊いていないのに、リツ君は自分からきっぱりそう

言って「〈幸来軒〉のでいいです」と急いでつけ加えた。

〈幸来軒〉というのは、駅の向こうの線路ぎわにあるおかしなラーメン屋で、年季の入った赤のれんにあるとおり、ラーメンとも中華そばともいわずに「夜鳴きそば」と謳っている。その一品だけしかメニューになく、それでも夕方に店を開いてから深夜に売り切れるまで、お客さんの途絶える間がなかった。まだ店が屋台であったころからの常連客が、路面電車の何駅も先から食べにくる。

「そうなのよ。昔は線路づたいにチャルメラ鳴らしながら、行ったり来たりしてたものよ」

マダムにそう教えてもらった。

「昔からの沿線の住人なら知らない人はいないわよ。味も値段も昔のままで。よくやってるわよ、あの店」

つまり驚くほど安い——ということで、リツ君の「〈幸来軒〉のでいいです」という言い方には、つまりそういう意味が込められていた。生意気ではあるけれど、彼にはどこか遠慮がちなところがある。

「いらっしゃい、一番星さん」

出されたばかりの赤のれんをくぐって店に入ると、大将がやたらに威勢のいい声で出迎えてくれた。

「その一番星っていうのは何です？」

はじめて耳にしたので訊いてみると、

「うちでは、最初のお客さんのことをそう呼んでいてね、で、最後のお客さんは流れ星ね」

じゃがいもみたいな顔をした大将だが、言うことはいちいちロマンチックだ。

「どこでも好きなところに座って」

小さな店なのでどこに座っても同じなのだが、いちおう窓ぎわの席にリッ君と向かい合わせになると、窓の外には線路しか見えなかった。

「なんでもおごってあげたのに。本当にラーメンでよかった？」

「なんでもって、どんなものですか」

「いや、なんでもっていったら、なんでもだよ」

「フランス料理のフルコースとかでも？」

「もちろんいいよ」

「すきやき、お刺し身、天ぷらとか」

「今度、まとめておごってあげるよ」

「あの……」

リツ君はときどきそんなふうに口ごもることがあった。

「あの、うちの親父が言ってたんですけど」

「ん？」

「オーリィさんは、ちょっとキョクタンなところがあるって」

「はい、超特急。おまちどおさま」

大将が鷲づかみにして持ってきたどんぶりが素早く目の前に並べられ、たちのぼる湯気にレンズがくもって、リツ君は「うわぁ」と言いながら急いで大きなメガネをはずした。

「お父さんは、僕のどんなところがキョクタンだって言ってた？」

どんぶりの中に白胡椒を振りながら訊く。

「前はぜんぜん仕事もしないで休んでばかりだったのに、働き始めたら休みの日まで働いてるって」

メガネをはずしたリツ君は、よりいっそう父親そっくりの顔になった。

「ああ、それは」と僕は割箸を割り、「早く仕事を身につけたいからで。なにしろ大変なんだよ、お父さんと同じようにするのは」

「そうなんですか？」

リツ君はさっそく「あちち」とそばを口にして舌を出していた。僕は箸を持ったまま左手にレンゲを持ち、まずは金色のスープをすすってみた。湯気の中にどこか懐かしい「夜の香り」が漂って、外はまだ夕暮れどきなのに深夜の線路ぎわで風に吹かれながら食べている感じがした。ちょうどいいタイミングで踏切の音まで聞こえ、二両編成の短い震動が店を震わせながら通り過ぎていく。

「でも、休みの日は働いちゃいけないって、お父さんに怒られたよ」

「それはそうですよ」とリツ君はメガネをかけなおし、「だってオーリィさんは休みの日にデートをしなくちゃ」とニヤニヤしてみせた。

ふんふん、と僕は適当にうなずき、それから急に思い出したふりをして、

「そういえば、明日の休みは彼女に会いに行くんだった」

と、これ見よがしに顔じゅうをニヤニヤさせておいた。

「え、そうなんですか」

「うん、じつをいうと明日はね――」

なんだかそんな話ばかりになって、結局、僕はリッ君のお母さんについて何ひとつ訊き出すことができなかった。

ただ、訊いてみたところで、彼がちゃんと答えるかどうかわからなかったし、そもそも彼に答えられることがあるのかどうかも、じつのところ僕にはよくわからなかった。

＊

その映画館は、その港町のかなり海の近くにあったので、だから僕はリッ君に「明日のデートは海に行くんだ」とそう言ってあった。

地図で確かめただけで実際に行くのは初めてだったが、路面電車の始発駅で私鉄の急行に乗り換え、そのあともういちど乗り換えがあって、たどり着くまでたっぷり一時間半もかかった。

そんなところまで、わざわざ出かけて行ったのは、他でもない松原あおいさんが出ている映画を観るためで、めずらしいことに、二本立てプログラムの二本ともに出演していた。

窓口で切符を買っていると、潮の香りがかすかに流れてきて、建物が邪魔して海そのものは見えないものの、すぐそこに海があるという気配が濃厚に伝わってきた。たぶん昔は海がよく見えたのだろう。まさに、デートにはうってつけだったに違いない。

いつもどおりロビーでポップコーンを買って場内に入ると、柱の太さもしっかりした昔ながらの映画館で、スクリーンも客席も広々としてこのうえなく気持ち良かった。が、上映開始まであと五分とないのに、ほとんど客が入っておらず、がらんとした客席を見渡していたら、驚いたことに、また、あの緑色の帽子が目にとまった。

これで三度目か。

帽子の人は、このあいだ〈月舟シネマ〉でそうしていたように、左はじのいちばんうしろの席に座り、僕も同じように右のはじに腰をおろすと、左はじからこちらをちらりと見たその目は、やはりこのあいだと同じ涼しげな目だった。チャーミングで、どこかダンディな、おばあちゃんの目。

僕に気づき、少し微笑んだように見えたのは気のせいだろうか。このあいだは席と席のあいだが十六席だったが、そこはゆったりした客席のうえに二十席ばかり離れていたから、いまひとつ表情までは伝わらなかった。

それでも、なんだか不思議な気持ちになった。

いや、もし僕のことを覚えているなら、不思議な気持ちになるのは、むしろおばあちゃんの方で、なにしろ僕のような得体の知れないひょろっとした若造が、昔の映画ばかりをたてつづけに観にきているのだから——。

上映開始のブザーが冷たく鳴り、暗くなる前にもういちど左はじに視線を移すと、おばあちゃんはこのあいだと同じようにすっと背筋を伸ばしてスクリーンを見上げていた。「おばあちゃん」などと軽々しく呼ぶのは失礼かもしれないと思わせる雰囲気が漂い、メガネをかけなおしたほっそりした手が、暗転してゆく中にそこだけ白く残像になった。

サンドイッチをつくるのにちょうどいい手。

自然と「お母さんのサンドイッチ」が連想されて、年齢からしても、安藤さんの「お母さん」という人は、おそらくこんなおばあちゃんではなかったろうかとさらに連想が働いた。

考えてみると、僕らの歳では当たり前かもしれないが、安藤さんの世代でサンドイッチをつくってくれたお母さんは、かなりしゃれた人だったに違いない。

そんなことを考えるうち、また頭がサンドイッチで一杯になって、スクリーンに映し出されるものが、まるで頭に入ってこなくなった。

二本立ての上映が終わって外に出ると、さっきより一段と潮の香りが強くなり、風が直接、海の方から吹いてくる感じがした。まだ明るさの残る空には一番星が出ている。街はざわざわとして、海にも空にも興味がないかのようにひっきりなしに車が通り過ぎ、車と車のあいだを荷物を手にした人たちが忙しそうにすり抜けていった。

しばらく映画館の前で煙草を吸いながらそんな様子を眺めていたが、そのせわしげな人の波の中に、ただひとつ悠々とすり抜けてゆくあの緑色の帽子を見つけ出した。見つけるなり僕は吸い込まれるようにその帽子を追いかけていたのだが、帽子は迷ったり立ちどまったりすることもなく足早に歩いていた。が、帽子がどれほど人の波にのまれても、僕はその緑色を見失わないだろうという妙な自信があった。

これだけ沢山の人がいる中で、僕とあの帽子のおばあちゃんだけが、この街とは別の世界と言うしかない昔の映画を観ていた。僕たちだけがひとときタイムマシーンで姿を消し、そしてこの午後5時の喧騒へと戻ってきた——そんなことを考えつつ帽子を追いつづけた。

ところが私鉄駅の構内に入ると、いよいよ人があふれ返って、いくつもの色が行き交う中では緑色の帽子など目印にならなくなった。五十メートル先にあった帽子がすぐに百メートル先になり、その次の瞬間にはもう視界から消えていた。

しばらくその場に立ちどまって、人に押されるまま改札を抜け、行きと同じ経路で路面電車の始発駅まで戻ってくると、まるで何ごともなかったかのように目の前を緑色の帽子が横切っていった。

さすがに、驚きの声が出た。

声に気づいた帽子の主も、あら、と声をあげ、僕の顔を覗き込むようにして「よく会いますね」と明るい顔でそう言った。

「このあいだは、たしか〈月舟シネマ〉で――」

路面電車がホームに入ってきて、その音に声がかき消された。

「この沿線にお住いなんですか」

「ええ、そうなの」

路面電車に乗り込むときも、すっと背筋は伸びたままで、どう考えても「おばあちゃん」と呼ぶのは似つかわしくなかった。

「今日はまたずいぶん遠いところでお会いしました」

シートにも座ろうとせず、吊り革につかまった姿が窓ガラスに映って、帽子をかぶっているとはいえ、並んで立った背の高さは僕とそれほど変わらなかった。

「奇遇ねぇ」

発車のベルがホームに鳴りわたり、ガタンと大きくひと揺れしてから、路面電車はいつものようにのんびりと走り出す。

「あなた、まだ若いのに、あんな昔の映画がいいの?」

窓ガラスに映った僕に話しかけてきた。

「ええ、僕はもっぱら昔のものばかりで。それも何度も同じものを観るのが好きなんです。今日の『口笛』は、じつをいうと、もう三度目で」

「三度目？　本当に？　あの映画はあまり上映されないでしょう？」

「よく御存知ですね」

「ええ、そうなの。わたしもこのごろはあんなものばかり観ていて。もっぱらね」

そう言って思いがけず「あはは」と豪快に笑うと、口をおさえたその白い手がすぐ目の前に現れた。

「あの」と僕はまるでリツ君のように口ごもっていた。

「あの、サンドイッチを」

「サンドイッチ？」

「ええ、サンドイッチを、その、つくることとなんてあるでしょうか？」

「そうねぇ、ときどきはつくりますけど。どうして？」

窓に映った自分の顔が、ええと、と口ごもったままで、その向こうに夕方の最後の光に照らされた風景がゆったりと動いていった。僕はポケットに財布を探り、その中に忍ばせておいた〈トロワ〉の宣伝用カードを「もしよかったら」と帽子の人に差し出して言った。

「僕はここでサンドイッチをつくっています。まだ見習いですけど。月舟町のひとつ先の桜川です」

「桜川？　もしかして、夜鳴きそば屋があるところかしら」

「ええ、そうです」

「ときどき屋台が恋しくなって行くんですよ。昔は毎日のように通っていたから」

「そうなんですか」

「そうなの。一番星の常連といわれていたのよ、わたし」

＊

桜川駅に帰り着き、ホームから踏切の方に行きかけたところで、見覚えのある白いシャツがちらりと目の端をかすめていった。

「あ、安藤さん」

声に振り向いた安藤さんは、

「あれ？　偶然だねぇ、こんなところで」と妙に照れている。

「どうしたんです？」

「いや、夜鳴きそばを食べにゆくところなんだけど……」と安藤さんまで口ごもっていた。

「昨日、リツの話を聞いてたら、急に食べたくなっちゃって。リツには内緒にしておいてほしいんだけど」

「じゃあ、僕も共犯者になりますよ」

ちょうどお腹が空いてきたところだったので、安藤さんにお付き合いをして、ふたたび〈幸来軒〉の赤のれんをくぐることになった。

昨日と同じ窓ぎわの席が空いていたので、安藤さんと向かい合わせになって座ると、どうにもおかしくて笑いがこみあげてきた。メガネをはずしたリツ君が、ひと晩にしてふたまわりくらい大きくなって現れたようだ。

笑いをこらえながら「安藤さんのお母さんという人は、きっと洒落た人だったんでしょうね」と訊くと、

「いや、そんなことはなかったよ。それにおふくろは早死だったし」

思いがけない答えが返ってきた。

「でも、このあいだのサンドイッチの話は」

そう言いかけると、安藤さんは「いや、それは違うんだ」と窓の外を眺め、「母親というのは、私ではなくリツの——」

路面電車がコップの水を震わせながら通り過ぎていった。

レインコート

いつからか、昼ごはんの「味噌汁係」を任されていた。

なぜか僕は味噌汁だけは自分でもうまいと思えるものがつくれる。ひとり暮らしを始めたとき、自炊の教科書に選んだクッキング・ブックが、たまたま優秀だったのだろう。誰かに教わったわけではなく、毎朝つくりながら少しずつ教科書の模範をアレンジし、自分であれこれ試すうちに、いつのまにか今の味になっていた。

「そこが肝心だよね。自分で考えるっていうのが」

そう言う安藤さんは、おにぎりと卵焼きの担当で、やはり安藤さんなりの工夫や味つけがちょっとしたところにあった。本当においしいと思わせるものは教科書には載っていないということだろうか。

午後の客足が途絶えるわずかのあいだに、調理場の隅で遅い昼ごはんを食べるのが習慣になっていた。土曜と日曜はリツ君も一緒に食べる。いつお客さんが来るかわからないので、おにぎりと卵焼きと味噌汁におしんこで済ませていた。

味噌汁係はそのとき任命されたのだった。

「オーリィさんのつくる味噌汁ってホントにうまい」とリツ君が言い、安藤さんは、僕のつくるサンドイッチにはまだ合格点をあげられないけれど、味噌汁はこっちが教えて欲しいくらいだよ、とやたらに褒めてくれた。

複雑な心境だったが、なんであれ、つくったものが褒められるのは素直に嬉しい。お客さんがまだ二人しかいないのは残念であるとしても。

「ここのところ、少しお客さんの数が減ってきてるみたいだけど」

と、これは僕の味噌汁ではなく〈トロワ〉のお客さんの話だ。

「そろそろ、飽きてきたかな」

深刻な事態なのに、安藤さんはどことなく他人ごとのようにのんびりしていた。

「それもそうだけど」とリツ君がおにぎりを頬ばりながら、「あの駅前の……」と言いかけて、「ああ、あれ」と僕も相槌を打った。

駅前を通りかかったときに「サンドイッチはいかがですか」という声が聞こえ、コーヒー屋の店先に立った若い店員が「新発売」と謳いあげていた。

「たしか、アンチョビ入りとか言ってた」

リツ君もそれを見てきたらしい。

「アンチョビって、アンコがちょびっと入ってることでしょう？」

「ああ、それいいな。うちの新商品はそれでいってみるか」

安藤さんは、その「アンチョビ入りイタリア風サンドイッチ」を、皆が並んで買っているのをまだ知らないようだった。冗談を言って笑っていられるうちはいいけれど、たしかにお客さんの数は目に見えて減ってきているし、毎日、売り切れていた店なのに、仕込んだ材料が残って持てあますようになっていた。

「でも、お客さんが飽きてきたということではないと思うんです」

それだけは間違いないと僕は信じていた。なにしろ僕自身がついこのあいだまで〈トロワ〉の客だったのだから。

「でも、新商品は必要ですよ」と、リツ君はまるでマネージャーのような顔つきで腕を組んで言った。「ついでに、昼ごはんもおにぎりと卵焼きだけじゃなくて、ハンバーグとかソーセージなんかを入れて強化してほしいです」

「強化？　またリツ君は変な言葉を覚えたね」

つい笑ってしまったものの、笑っている場合ではなかった。

「いや、リツの言うとおり、ここはひとつ強化した方がいいかもしれん」

安藤さんは味噌汁をすすりながら店先を気にしていたが、食べ終えるまでのあいだにとうとうお客さんはひとりも現れなかった。

僕は内心、今のメニューのままで充分ではないかと思っていて、シンプルでバランスがとれているし、迷わず選べるちょうどいい豊富さになっていた。これ以上、種類を増やすと安藤さんの負担になるだけだし、それが全体の味に影響してしまったら元も子もない。僕にできることがあれば、それがいちばん良いのだが、とにかくまだ合格点をもらっていないのだからどうしようもなかった。

「寒くなってくると、サンドイッチは人気が落ちるそうだよ」

開店してはじめての冬を迎える安藤さんは、そこのところが気になって、ときどき行く喫茶店のマスターに聞いてきたらしい。

「どうしても温かいものを口にしたくなるからね」

――と、そこでリツ君は何かひらめいたようで、「味噌汁はどうかな」と目の前で湯気をたてているお椀を指さしてうれしそうに言った。

「リツ、うちはサンドイッチ屋なんだぞ。おにぎり屋ならともかく、味噌汁なんかじゃ強化にならないだろう」

息子を睨みながら安藤さんは僕に同意を求めたが、僕はむしろリツ君の単純な発想に新鮮なものを感じていた。たしかに味噌汁は合わないかもしれないけれど、たとえば、

「スープなら?」

「スープ? ふうむ、なるほど。スープならいいかもしれないねぇ」

「どんなスープ?」とリツ君が父親を見あげながら訊いた。

「いや、それはオオリ君がつくるんだから、彼に決めてもらわないと」

「え? 僕がつくるんですか」

「それはそうだよ。こんなにおいしい味噌汁をつくるんだから、きっとスープだって上手くできる」

いきなり強く肩を叩かれてしまった。

「ひとつ頼むよ」

安藤さんの顔からそれまでののんびりした様子が消え、見る間に師匠の鋭く険しい目に戻っていった。

*

「つまり宿題というわけね」

マダムの部屋に売れ残ったサンドイッチを届けに行ったとき、玄関先の立ち話がいつのまにか新商品のことになった。

「スープねぇ、くれぐれもサンドイッチの味を邪魔しないようにつくらないと」

マダムは僕が抱えこんだ宿題を面白がっているようだった。

「よっぽど、おいしくないとね」

それはもちろんよくわかっていた。わかっているけれど、味噌汁ならともかく、スープはほとんどつくったためしがなく、というより、よく考えてみると、僕はこれまでスープというものを真剣に口にしたことがなかった。「真剣に口にする」というのはおかしな言い方だろうか。

つまり、ランチやディナーのセットにおまけで付いてきたものを何の気なしに口にしていただけで、自分から積極的に注文した覚えがない。

「本当においしいスープっていうのは、それだけあれば他に何もいらないくらいおいしいものよ」

マダムには、これまでに味わってきた「本当においしいスープ」の記憶がいくつもあるようだった。

「スープって、まず最初にいただくものでしょう？　最後も肝心だけど、最初こそ肝心なのよ。きっと一流のシェフはスープの最初のひと口で自分の味を伝えたいと考えてるはず」

それはそうかもしれないけど、僕は何も一流のシェフを目ざしているわけではないし、サンドイッチ屋の片隅に小さな鍋を並べて、ちょっと試しにつくろうかと思ってるだけで――。

「同じことよ」

マダムにあっさり片づけられてしまった。

「口はひとつしかないんだし、みんなが食べたいものだって、ひとつだけなんだから」

「ひとつだけ？」

「おいしいものよ」

もっともな話だった。マダムの言うことはいつでもハズレがなく、考えてみれば教科書に背いて自分なりのアレンジを加えたのも、そうした方が明らかにおいしかったからだし、そこに少々、面倒な作業が付け足されたとしても、結果がおいしければ、それが当たり前になってくる。

ということは、まず何よりスープづくりの基本的な教科書が必要だった。教科書がないことにはアレンジを試すこともできないし、安藤さん流にいえば「自分で考える」ことができない。

よし。

覚悟を決めると、僕はいてもたってもいられなくなる性質なのだ。路面電車でふた駅行った町に夜おそくまで開いている本屋がある。

売れ残りのサンドイッチでそそくさと夕食をすませると、レインコートを羽織って出かけなおすことにした。

レインコートを羽織ったのは雨が降り出しそうだったのと、店からの帰り道に少し肌寒さを覚えたからだ。本格的な寒さまでにはまだもう少しあるだろうけれど、ぼんやりしているとすぐに季節はめぐってくる。

路面電車に揺られながら〈トロワ〉のサンドイッチをひとつひとつ思い浮かべ、それぞれに合うスープは何だろうかと当てはめてみた。たとえばハムのサンドイッチなら、もう少し野菜が欲しいからミネストローネはどうかとか、たまごのサンドイッチは口の中がもったりしてくるので、すっきりしたチキン・コンソメ・スープが合うかもしれない——などなど。

ところが、夜ふかしの本屋の料理本コーナーで手にした何冊かのレシピ集には、およそ初めて目にするようなスープが、これでもかというくらい並んでいた。二百頁はある分厚い一冊が、丸ごとスープのみで彩られているものもある。目次を追ってみると、ミネストローネもコンソメ・スープも見当たらず、すべては「工夫をこらした」結果のようだった。

が、こんなにたくさんの種類があったら、サンドイッチとの相性をためしているだけで一生を棒にふってしまう。季節がめぐってくるどころの話ではない。

僕はその本を見なかったことにして、棚の隅に押しやられていた薄手の一冊を選んだ。目次に並んでいるのが、コーン・ポタージュやクラムチャウダーといったクラシックなものばかりだったからで、もちろんミネストローネもちゃんとある。

本屋を出ると雨が降り出していて、レインコートでしきりに本をかばったものの、着古したコートは防水の効果が薄れ、部屋に帰り着いて台所のテーブルで頁を開くと、雨を吸った紙が波打つようにふくらんでいた。

バスタオルで髪を拭きながら、部屋の隅に干したコートを恨めしげに眺めた。コートは力尽きて抜けがらのようにぐったりして、もういいかげん新しいものに買い替える時期がきていた。

僕は買ってきたレシピ集を手にすると、気をとりなおし、たわんだ頁に手のひらでアイロンをかけるようにして、ひとつひとつゆっくり読んだ。

読めば読むほどいい香りの湯気がたちのぼってくるようで、どのレシピも材料さえあれば今すぐにでもつくってみたいものばかりだった。

でも、それはあくまでも本の中から漂う想像の湯気でしかなく、ハンガーにぶらさがったコートと同じようにくたびれていた僕は、夢中になって読むほどに体が冷え、そのうえ、いつのまにか本に顔を伏せて、うとうとしてしまったらしい。

目が覚めると朝に近く、白みかけた窓の向こうから雨の音がひとまわり大きくなって聞こえてきた。

同時に、大きなくしゃみがみっつばかり出た。

＊

次の日も雨は降りつづいて、なんとなく体が重たいまま一日を過ごし、どうにか仕事を終えて帰ろうとしたとき、自然と足が駅前の方に向いていた。

どう考えても、さっさと部屋に戻って布団にもぐり込むべきなのに、アンチョビ入りのサンドイッチが気になって落ち着かなかった。雨の日曜とはいえ、〈トロワ〉のお客さんはそれまでにないほど少なく、こんな状態がつづいたら冬を乗りきれなくなる。

敵陣を偵察する必要があった。

敵陣といっても、失業中は毎日のように通った行きつけの「150円コーヒー」で、失業者にとっては心強い味方である。が、同業者となると、その安さが仇になってくる。

もしかすると〈トロワ〉に来ていたお客さんが行列に並んでいるかもしれず、顔を合わせたら何と声をかけようかと迷っていた。

安さに惑わされては駄目です。うちは新商品を開発中ですよ——と宣伝してみようか。実際にはまだ開発どころかスープの種類さえよくわかっていないのだが。

やや気弱になりながら駅前にたどり着くと、さすがに雨で客足がにぶったのか、「150円コーヒー」の店先はあっけないくらい閑散としていた。

が、ほっとしたのもつかの間。店の中を覗いてみれば、ほぼ満員と言っていいくらいの客がひしめき合い、見ると誰もがサンドイッチを手にし、引き込まれるように僕も店の中に入ると、「御注文は?」の声に、無意識に「イタリア風」と答えていた。

180円。たしかに安い。

注文して現れたものはボリュームもたっぷりで、トレイにコーヒーと並べて載せると、合計330円とは思えないしっかりした重みがあった。店内は声があふれて活気もあり、皆の顔がことごとく笑っている。はたしてこの笑顔の中に〈トロワ〉のお客さんがいるのだろうか。

席を探すふりをしながら見渡すと——、

「あら、オーリィ君」

手を振りながら「こっちこっち」と呼ぶマダムの顔がそこにあった。しかも驚いたことにマダムの隣にはリツ君がいて、マダムの声色を真似て「オーリィさん」などとふざけている。

絶句しながら二人の隣に腰をおろすと、二人ともトレイの上に食べかけの〈イタリア風〉を載せていた。

「どうして二人が？」と僕には二人の関係が、すぐにはつながらなかった。

「だってこの子、オーリィ君のお友達なんでしょう？　こないだ、自分でそう言ってたじゃない」

「そうでしたっけ」

「この子——リツ君っていうんだっけ？　こんな雨が降ってる日に、教会の前に立って手なんか合わしちゃって、わたし、部屋の窓から偶然それ見ちゃったのよ。いじらしいじゃないの、まったく」

リッ君は両手でサンドイッチを握りしめ、「アンチョビってどんなものなのか、大家さんに教えてもらいました」と、とぼけてそう言った。

「ねぇ」とマダムが急に声をひそめる。「この子のお父さんってどんな人なの？すごく厳しい人なんだって？」

「ええと」

「ふたこと目には、自分で考えろって言うらしいわよ。何も教えてくれないし、このサンドイッチを食べてみたいってお願いしたら、いきなり怒鳴り返されたんだって」

横目でリッ君の様子をうかがうと、大急ぎでサンドイッチにかじりついてこちらを無視していた。

「話を聞いているうちにかわいそうになってきちゃって。そんなことなら、わたしがおごってあげるわって連れてきちゃったの。お父さんには内緒ということで。だからね、オーリィ君も今日のことは誰にも言っちゃだめよ」

内緒にしたいのは僕にしても同じなので、安藤さんには悪いけれど、マダムの言うとおり、これは三人だけの秘密になってしまいそうだった。

なんだか妙なことになったなぁ——と思いながら、〈イタリア風〉を手に取ると、

「そういえばスープはどうなったの?」

マダムの声がなぜか遠くの方から聞こえてきた。

「いちおう、レシピは手に入れましたけど」

そう答えた自分の声もくぐもって、味を確かめてみようと口に入れたサンドイッチは、味気ないというより何の味もしなかった。飲み慣れたはずのコーヒーも口が曲がってしまうくらい苦くておいしくない。

「昨日も言ったけど」

マダムはおいしそうにサンドイッチを頬ばっていた。

「スープっていうのは、まず最初にいただくものでしょう?」

「そうなんですか?」とリツ君がすかさず質問をしている。

「そうなのよ。レストランなんかに行くとそうじゃない? たいてい最初の方にスープが出てきたりして」

マダムはリッ君が食べ散らかしたものを手ぎわよく片づけながら目を細め、また僕の方を向いて「ねぇ」と声をひそめた。

「この子、レストランに連れて行ってもらったことがないのよ、きっと」

いや、そんなはずは――。

「リッ君ね、じゃあ今度、フランス料理のレストランに連れて行ってあげるから」

「ホントに？」

胸のうちで、やったぜ、と叫んでいるリッ君の声がはっきり聞こえてきた。が、その声も輪郭を失い、さらには目までかすんできて、マダムのどこか嬉しそうな顔が左右に揺れて定まらなかった。

「それでね、さっきの話のつづきなんだけど、その最初っていうのにもいろいろあって、たとえば……あれ？　オーリィ君、どうしたの」

「いや、なんだかどうも目が回って」

マダムの手のひらがおでこに触れたとたん、あまりの冷たさに驚いて思わず背筋が伸びてしまった。

「あら、やだ。すごい熱」

うなされるほどの熱を出したのはいつ以来のことか。幸い、大病を患うことなく過ごしてきたから、おそらく、この前も風邪で寝込んだときに違いない。

自分のうめき声に目を覚ますたび、ほてった体がジタバタして、一瞬たりともじっとしていられなかった。わずかな水分を補給するのがやっとで、何かを食べようという気力すら湧いてこない。

丸二日、まともに起き上がることができなかった。

ようやく生き返ったのは三日目の朝。風邪ごときで「生き返った」は大げさかもしれないが、食べることもままならず、ひたすらうなってばかりいたせいか、詰まっていた鼻が通っただけで世界が活き活きとして映った。「世界」とはいっても、散らかったままの僕のアパートの部屋のことなのだが。

＊

「どう？」

ドアのノックと共に何度かマダムが顔を覗かせて気づかってくれ、三日目の朝に

「もう大丈夫です」と答えたら、そのあとしばらくしてまたノックが聞こえてきた。

「入るわよ」と遠慮がちなマダムの声。「お腹が空いたでしょう？」

通った鼻に、いかにも懐かしげな人なつっこい香りが充ちてきた。

「スープをつくったの」

台所のテーブルに鍋と皿が並べられていた。

テーブルの向こうに、薬罐《やかん》を火にかけるマダムの背中がある。ぶらさがったままのレインコートが、すっかり乾いてふくらんでいるように見えた。

うわの空

どうもストーブを消し忘れてきたような気がしてならなかった。

アパートから五歩ほど歩き出したところで立ち止まり、すぐに部屋に舞い戻って確かめる。

僕は、まるっきりうわの空だった。スープのことばかり考えて、夢の中でさえうわの空になっていた。夢の場面は街の中だったり電車に乗っていたりするのに、いつのまにかエプロンを腰に結んで玉ねぎをきざんでいる。

涙が湧き出してとまらなかった。

「我慢、我慢」

繰り返し念じて、まな板を叩く。

夢から覚めると泣きはらしたようにまぶたがもったりし、それでも歯を磨きながら頭の中ではオニオン・グラタン・スープのつくり方を手順どおり進めていた。

「うわの空」というのは、まさに空の上で息をしているようなものだから、ときには息をすることさえままならず、雲の上を歩く心地でアパートから出てきて、ふと我に返って、しばらく考えるのだ。

ストーブを消してきたろうか。

いや、それだけじゃない。玄関の鍵を閉めてきたかどうかも怪しい。間違いなく戸締まりをしてきたという実感が手に残っていなかった。首をひねりつつアパートの階段をのぼり、玄関まで戻ってノブをまわしてみると、なんのことはない、鍵はしっかりかかっている。念のため部屋の中を覗いて確認してみるが、ストーブのスイッチはＯＦＦになっているし、コンセントもちゃんと抜いてあった。

これまでのところストーブがつけっぱなしであったことは一度としてなかった。

どうやら、僕の無意識はかろうじて火の用心を心がけているが、意識がうわの空であるので、何度もこんなことが繰り返された。

「なんだか実験室みたいだね」

そう言ったのは安藤さんで、頭の中だけでなく、〈トロワ〉の調理場の一角もすっかり僕の「スープ」に占拠されていた。材料やら調理器具やらが所狭しと並べられ、たしかに料理というより実験と言いたくなる。

〈トロワ〉にあるいちばん大きな寸胴鍋《ずんどうなべ》を「穴があくまで使ったらいいよ」と安藤さんから貰い受け、そこにつぎつぎ材料を放り込んでいると、しだいに怪しげな気分になってきた。

いくつもの骨、奇妙な手ざわりの香草、色とりどりの粉末、乾燥して干からびた得体の知れないもの——そんな材料ばかりなので、できあがるのは魔女の妙薬か何かではないかという気がしてくる。

リツ君などは本気で怖がり、実験中の僕には近寄ろうともせず、少し離れたところから「爆発とかしないんですか」と首をすくめてうかがっていた。

「するかも」と僕もだんだん心もとなくなって、「いや、まさかね」と湯気にかすむ鍋を見守っていると、「どれどれ」と安藤さんが自ら味見を買って出てくれた。

味見はスープを正しく完成させるための重要な作業なので、味見専用の小さな平皿と柄の長いスプーンを特別に用意してある。

安藤さんはこういうとき、とつぜん料理長の顔つきになり、味見をする前から「なんだ、これは」と言わんばかりの深いしわが眉間に刻まれていた。無造作にスプーンですくい取り、皿に移して、への字になった口にあてる。辛口の酒をためすような感じで顎をあげ、それから今度はうつむいて、わずかにうなずく。

「うん。いいね。うまくできてる」

「本当ですか」

僕はいつでも自信がなかった。安藤さんに「うまい」と判をおしてもらって、それでようやく味見をする気になる。

そうするといつのまにかリツ君も鍋のそばに来て、手にした皿を差し出して「ぼくも」と味見をねだる。

味見のスプーンを差し入れながら鍋を覗くと、底の方はおそろしく混沌として、それなのに、すくい取ったひと匙はほのかな黄金色で、味などまるでないような透明さをたたえていた。それが舌の上を通過したとたん思いがけない香りを鼻の奥に送ってくる。

コクだけを残して喉全体にしみわたる。

「うまい」というより「すごい」と言いたくなった。見てくれが奇怪だったり、小粒だけれど強烈な香りを放つものたちが、ひとつの鍋で融けあって思いもよらない黄金色のスープストックに化けている。

これはもう化学反応である。

つまり、スープのレシピというのは、たとえば「H_2O」といった化学記号をわかりやすく解いたものと同じなのだ。誰がいつどこで発見したのか知らないけれど、そのレシピがいくつもの鍋と時間を介し、いま自分の手もとの鍋にまでたどりついているという不思議。

そんなことにいちいち驚くのは子供じみているかもしれないが、魔女が操る秘伝の術を探し求めるより、よほど手軽に台所で魔法を実感できた。

そのうえ、おいしいのだから。

「魔法みたいだろ」

リツ君にそう訊くと、彼は「ふうん」と意外にそっけなかった。が、それはそうだろう。スープストックは「だし」であり、これからスープになってゆくその下地にすぎない。いつも大人びたことばかりを言うリツ君の舌にも、さすがにこの味わいは理解できないだろう。

——そう思っていた。

＊

およそ一ヵ月。

何冊かのレシピ集をもとに、ひたすら実験と試作を重ねてきた。

イギリス風からブラジル風まで。とりあえずサンドイッチと相性が良さそうなものはひととおり試してみた。素材も缶詰めのコーンからオマール海老まで。仕入れ値は度外視し、好き勝手につくっては改良を試みた。数えてみると十六種類あり、スープづくりの初心者である僕がどれもそれなりの味に仕上げられたのは、やはり今回も買い集めたレシピの選択が当たりだったらしい。

絞り込むのは難しかったものの、とりあえず試験的に出してみようということになって、親しみやすさと季節を考えて、結局、次の三つのスープに落ち着いた。

クラムチャウダー。

ミネストローネ。

それと、かぼちゃのスープ。

「かぼちゃ」はリッ君のリクエストで、甘味を抑え、かぼちゃだけではなくさつま芋を合わせたのが僕なりのアレンジだった。他のふたつにもそれぞれ隠し味を忍ばせたが、基本的にはレシピどおり忠実に再現したもので、何度つくっても同じ味になるよう、それこそ実験のように塩や胡椒を一グラム単位で調整してあった。

それでもまだ僕は自信を持てなかった。

最初はメニューの隅に「寒いあいだだけスープをつくります」と小さく書き添え、それだけではまだ気づいていないお客さんの方が多く、気づいたとしても、「へえ」「ほう」「ふうん」と気の抜けるような言葉しか返ってこなかった。買って帰っていざ食べようというころには、きっとスープが冷めている——皆、そんなふうに計算しているようだった。

「せっかく手軽に食べようとサンドイッチを買ったのに、いちいちスープを温めなおすのは、どうも」

なるほど、たしかにそうかもしれなかった。

しかしですね——と僕は店に誰もいないのを見はからって、見えないお客さんに向かってあれこれと講釈を始めた。

スープストックをつくるときのコツは——。

玉ねぎの炒め方は——。

ついでに「魔法」と「うわの空」のことまで。

ブツブツつぶやいているうちに、またうわの空になり、ふと気づくと、目の前というか目の前のちょっと下あたりにリツ君の顔があって、困ったような怪訝そうな表情でじっとこちらをうかがっていた。

「大丈夫ですか、オーリィさん」

「ん？」

「ほんとに大丈夫？　オーリィさん」

リツ君の頭の上の方から女性の声が聞こえた。

「来てみました」

頭の上に、あの緑色の帽子がのっている。

映画館のおばあちゃん。いや、「おばあちゃん」などと呼ぶのはふさわしくないが、「このおばあちゃんがね」――リッ君があっさりそう言った。「うちの店を探していたから、連れてきました」

「途中で迷ってしまって、いただいたカードを見ながらキョロキョロしていたら、ちょうどこの可愛い坊やが通りかかったの」

「可愛い坊や」と呼ばれ、リッ君が不服そうに顔をしかめていた。

「そうでしたか。わざわざ来てくださって、ありがとうございます」

僕の言葉に「あれ？　知り合いなんですか」とリッ君はいったんしかめた顔を元に戻した。

「知り合いというか」――僕がどう説明したものか迷っていると、

「友達ですよ」

彼女は帽子に手をあてて明るい声でそう答えた。

「ふうん」とリッ君は腑に落ちない様子で僕と彼女を見くらべている。

「サンドイッチを買いにきたんです」

彼女は店の中を見まわし、カウンターの上のメニューに目を留めると、手に取るなり眼鏡をかけなおして「さあ、どうしましょう」と細かい文字を追った。

「どれでもお好きなものを」

「そうねぇ、こんなにいろいろあると」

「スープもあります」とリッ君が気を利かしたつもりなのか、ひときわ大きな声をあげて、「オーリィさんがつくったオススメです」と宣伝してくれた。

「あら、そうなの。それは是非いただかないと」

なんだかくすぐったいものが背中から足先に向けて流れた。

「あの」

スープは三種類あるんですと言おうとしたが舌がもつれ、自分でも何を言っているのかわからなくなった。「かぼちゃのやつがおいしいですよ」とリッ君が引きついでくれた。

「そうなの？　じゃあスープはそれにするとして、さて、サンドイッチはどうしましょう」

「ぼくが好きなのはチキンです」

そこへちょうど二階から安藤さんが下りてきて、カウンターの前でチキンがどうのこうのと話しているリッ君とおばあちゃんを見るなり不審げな顔になった。

「話すと長くなるんです」

訊かれる前に僕は安藤さんにそう言って、

「チキン・サンドイッチの注文をいただきました」

急いで伝票を手渡した。

＊

休日の水曜日は怠けてゆっくり起きる。晴れていれば布団を干し、あくびで目をにじませながら今日はどうしようかと考える。

今日は――とカレンダーに目を移すと、ボールペンの走り書きで〈月舟シネマ〉とだけ書き込んであった。

三週間前。

スープづくりでうわの空になっていた頭を休めようと、ひさしぶりに〈月舟シネマ〉に行ったときのこと。窓口でチケットを買おうとしたところ、いきなりポップコーン係の青年が「いらっしゃいませ」とやつれた顔を覗かせて驚かされた。

「あ？」

「ええ、人手が足りないもので」

小さな箱のように見えるチケット売場には彼ひとりしかいなくて、正確に言うと、彼ともう一匹、床におとなしく寝そべっている犬の姿が見えた。犬は僕の方をしばらく見上げ、それから眉をひそめるような顔になると、面白くもなさそうにあちらを向いて、しっぽをひと振りしてみせた。

「支配人がいなくなってしまって」

「いなくなった？」

「ええ。犬だけ残して」

犬は自分のことが話題にのぼっているのがわかるのか、黒い瞳をひとまわり大きくして、またこちらを振り向いた。

「他の人は？」

「みんな辞めました。支配人がいなくなったら給料がもらえないからって」

「ということは」

「ええ、僕ひとりです」

彼が言うには、このままだと〈月舟シネマ〉は閉館することになってしまう。でも、自分ひとりでもなんとかつづけたい、どうしたらいいのでしょう——犬とそっくり同じ訴えるような目になっていた。

「とにかく」

——と言いつつも即座にいいアイディアが思いつくわけもない。

「とにかくお客さんが来てくれるようなプログラムを考えないと」

「ええ、もちろんそうなんですけど、なにしろ、いい作品はそれだけフィルムを借りるお金も高いので」

「それなら」と僕はそこで不意に思いついてしまった——というか、ただ単に自分に都合のいいことを思いついただけなのだが。

「ここに」——と僕はいつも手帖にはさんでいる自家製の〈松原あおい出演作品リスト〉を取り出すと、「ここに並んでるのは人気もないし、たぶん大した作品ではないけれど、少なくとも僕は三回見るし、なによりフィルムが格段に安いと思う」

「人気がないということですか」

「いや、それは本当のところわからなくて、なにしろほとんど上映されたことがないし、もしかして観たい人が沢山いるかもしれないし」

「本当ですか」

「平均的にB級なものをつづけるより、少々、高くても目立つものをひとつやって、そのあとしばらくひっそりこんなものでつないで、それからまたお客さんが集まりそうなものをやって——」

なんとも自分勝手でいい加減なアドバイスをしてしまったと思い出すたび反省していたが、しばらくして路面電車の駅に貼り出された〈月舟シネマ〉のポスターは、驚いたことに僕が言ったとおりのプログラムになっていた。僕のリストを参考にしたと思われる映画がいくつも予定に入っていて、たぶん急遽、変更したのだろう、あらかじめつくってあったポスターに変更分が糊づけしてあり、それもきっと彼がひとりでコツコツつくったものに違いなかった。

——というわけなので、観に行かないわけにいかなかったのだ。

いや、仮にそんなことがなかったとしても、「松原あおい」の名がクレジットされている作品であれば、たとえ誰かに「うわの空」と言われても、一も二もなく駆けつけるのが身上だ。

といっても、乗ってゆくのが路面電車なので、はやる気持ちがいい具合に抑えられて、それほど「うわの空」にもならなくて済んだ。しっかりストーブを消し、玄関の鍵を閉め、駅まで歩くあいだ、それから電車が来るのを待つあいだ、そして隣駅までひと駅乗るあいだ、僕はきわめて冷静に緑色の帽子のおばあちゃんのことを考えていた。

きっと今日も来ているだろう。

思い返すと、彼女は僕が駆けつけた映画館の片隅にかならず身をひそめていた。もしかして彼女もまた松原あおいのファンなのだろうか。

どことなくそんな気もするけれど、これまで僕はあおいさんのファンだという人に会ったことがない。

いつだったか「俺は映画にそうとう詳しいよ」と自称する会社の同僚と酒の席で隣り合わせ、「オオリ君は誰か好きな女優とかいないの」と訊くので、答えても無駄と知りながら「松原あおい」と答えると、「誰だいそれ」と笑われてそれきり話が途絶えてしまった。

それを考えると、やはり帽子のおばあちゃんは特定の俳優に惹かれているのではなく、映画の中に閉じこめられた昔の空気を味わっているのではないか——今日はそのあたりのことを思い切って訊いてみようか。

〈月舟シネマ〉にたどり着くと、意外にもロビーに人影がいくつもあり、チケット売場の窓を叩いたら、「ああ、いらっしゃい」と現れた青年の目が一目で輝いているのがわかった。

「意外に人気あるんですよ。予想以上に沢山のお客さんがいらっしゃって。信じられないです」

信じられないのはむしろ僕の方だった。

「ひょっとすると、先週の高い映画の方が入りが悪かったくらいで」

犬も目を輝かせているだろうかと窓口の向こうを覗いてみたが、何やら足もとに触れる柔らかいものがあるので目をやると、犬が僕の足にすり寄って静かに目を閉じていた。つながれていないのに窓口の脇を自分の居場所に決め、そこから半径三メートル以内にしか動かないという。

彼は——雄のようだった——僕がコートのポケットに入れてきた骨の匂いを嗅ぎつけたらしい。

「はい、どうぞ」

紙に包んできたものを開いて犬の足もとに置くと、犬はひとしきり尻尾を振って、コレハドウモ、カタジケナイ、とばかりに紳士的にくわえて自分の居場所にさっと持ち去った。スープのためにだしを提供し、その代償に黄金色のエッセンスを吸いあげた手間ひまのかかった骨だから、きっと噛みしめ甲斐がある。

——不意に上映開始のブザーが鳴り響いた。

そのブザーを鳴らしているのも青年で、彼は他にも菓子を売ったり電話に出たりと大いそがしである。ブザーが鳴り終わったら今度は映写技師もつとめなければならない。

今日は——彼に悪いので——ポップコーンを買うのはあきらめることにして、ブザーを耳にしながら手ぶらのまま館内に入った。

「人気がある」と彼は言ったけれど、それにしては数えるほどしか客はなく、客の少なさは毎度のことで慣れていたものの、それがいつもより寂しく感じられたのは、どこを探してもあの緑色の帽子が見当たらなかったからだ。

ポップコーンもないし、映画が始まってからもひどく手持ち無沙汰で、僕はめずらしく「彼女」が登場するシーンを見逃してしまったらしい。
いったい、何にうわの空になっていたのだろう。

口笛

気がつくと口笛ばかり吹いていた。

「夢中になるのは、いいことだけどね」マダムの声は少しばかりくもっているようだった。「うっかりしたり、ぼんやりしたりが過ぎると、どうもねぇ」

それほど頻繁に顔を合わせるわけでもないのに、いきなりそんなふうに注意されて戸惑ってしまった。マダムに限らず、母や姉たちにもさんざん言われつづけてきたことで、注意されて、ああそうか、と目が覚めることもあるが、自分でもふとしたときに自覚があって、「あっ」と大人げない声が出てしまう。知らず知らずのうちに何かをしていたり、目の前にあるものに異常に驚いてみたり。

たとえば、ふと気づくと、まったく手をつけていないコーヒーが目の前に置かれていたり。あるいは、シャワーを浴びている途中で、髪は洗ったっけ、とつぶやいていたり。「気づく」というのが症状のあらわれで、何かに「気づく」ということは、つまり、それまでぼんやりして気づかなかったということだ。

「ごきげんねぇ」とマダムに声をかけられたときも、僕はどうやら口笛を吹いていたらしい。そのときはまだ自分で気づいていなくて、「何の曲なの？」と訊かれた意味もまったくわからずに「何がですか」と答えていた。

ところが何度目かのとき、とつぜん背後から「ほら、それよ」とマダムに背中を叩かれ、たしかに自分が無意識のうちに「ある曲」をリフレインしていることに気がついた。

どういうのか、特別、その曲が気に入っているわけでもないのに、いつのまにか何度も頭の中で繰り返してしまう曲があり、そうして何度も繰り返したわりには、いったん忘れてしまうと、もうどんな曲であったかも覚えていなかった。

僕の「ぼんやり」の深刻さは、このあたりに根があった。ぼんやりするあまり、ぼんやりと妙な曲を頭の中に鳴らし、ぼんやりしているうちに、その旋律がすっかり消えてなくなっている。消えてしまったことにも気づかなくて、次の「ぼんやり」が、また別のメロディーを呼び込んで、それ以前の繰り返しは、それきりなかったことになる。

まるで僕は「ぼんやり」した帽子をいつもかぶっているみたいだ。〈ぼんやり帽〉とでもいえばいいのか。すっかり頭になじんで、かぶっている感覚もない。

それにしても、僕の下手くそな口笛は、他人の耳には吹いているのか吸っているのかもわからないような頼りないものだった。ただ、僕の耳の奥には手本となるしっかりしたメロディーがあって、マダムが「ほら」と示したその曲は、透きとおるようにきれいな口笛として記憶に残っていた。

その口笛は、僕がなぞっているスカスカした口笛なんて比べものにならない。

「なんという曲かは知りませんけどね」

マダムにそう答えると、そうそう、そういうことってあるわよねと、堰を切ったようにマダムの早口が止まらなくなった。

「わたしなんかそればっかりよ。いつのまにか口ずさんでいるんだけど、曲の題名も歌い手の名前も思い出せなくて。頭の中ではちゃんと鳴ってるのに、いつまでたっても思い出せないの。しまいには誰かに訊きたくなっちゃう。でも、わたしはひどい音痴だからね、歌って聞かせるのは御免なの。だから、どこかに相談所でもあったらいいのにっていつも思うのよ」

「相談所？」

「教会の懺悔室みたいな小部屋があって、そこにどんな曲でも知ってる音楽の神父さんだか牧師さんだかがいて」

「牧師さん？　音楽の？」

「まぁ、なんでもいいんだけどね、とにかくいろいろ知ってる人。その人の前で、題名の思い出せない曲をひそひそ歌えばいいわけ」

「ひそひそですか」

「だって恥ずかしいじゃないの。なにしろ音痴なんだし。だから小さな声で静かに歌って鑑定してもらうわけ。牧師さん、このとおりこういう歌なんですが、さて、なんという題名でしょうか——って。そうすると牧師さんはシルクのような声でそっと教えてくれるのよ」

「シルク？　って、どんな声です？」

「よくわからないけど、そんな感じってあるでしょう？　フランス語を喋るときの声の感じ。詩を朗読するみたいな」

「ということは、フランス語で教えてくれるわけですね」

「違うわよ」——とマダムは眉をひそめて僕の顔を見た。

「オーリィ君って、ときどきそういう変なことを言うのよ」

「そうですか」

「だって、そうでしょう？　それじゃあ何もわからないじゃないの。あくまで、そんな感じの声ということよ。そんな感じの声がベールの向こうから答えてくれるわけ。ベールって懺悔室に付きものでしょう？　レース編みのような細かい模様がはいったベールの向こうに、神父さんだか牧師さんだかがいて」

——と、この調子でマダムの空想につき合っていたら、きりがない。

「あの、そういう意味じゃないんです」

「あら、そうなの？　なんの話だっけ」

「曲名のことです」

「そうそう、そうよ。だから——」

「いえ、僕のは、もともと曲名を知らないので」

頭の中に僕はその美しい口笛をもういちど響かせながら答えた。

「どういうこと?」

「つまり、ええと、ある映画の中で口笛を吹くシーンがあって」

「ああ、わかっちゃった」

マダムの顔が灯をともしたみたいに明るくなった。

「オーリィ君が好きな、例の」

そうです。そのとおり。それは、他でもない松原あおいさんが出演している映画で、少し前に海の近くの映画館で三度目を観たその名も『口笛』という作品だった。上映の機会こそ少ないものの、いつも画面のはじで小さくなっているあおいさんが、その作品では、ほんのつかの間とはいえ、単独で画面に現れる。現れて、それから15秒ほど、ひとりで口笛を吹いてみせる。

はじめて観たとき、不覚にもそれがあおいさんであると気づかなかった。まさかそんなふうにスポットライトを浴びるとは思っていなかったし、軽妙に口笛を吹きながら画面を横切ってゆくのが、野球帽を斜めにかぶった少年だったせいもある。

あおいさんが出ている映画を観るとき、特にそれがはじめて観る作品の場合は、まさしく息をつめるようにしてスクリーンの隅から隅までをじっくりと見た。ともすれば、誰も気にとめないシーンに後ろ姿だけしか見せないこともあるし、その一瞬を逃せばそれきり二度と出てこないことがほとんどだったりする。〈ぼんやり帽〉の僕には、その一瞬を見きわめるのがひと苦労だが、こと、あおいさんに関しては、たいていの場合、「これだ。これが彼女だ」と探し当ててきた。

ところが、『口笛』をはじめて観たとき、少年が彼女だと見破れず、とうとうあおいさんの姿を認めぬうちに「終」の文字がスクリーンに現れた。そのときのショックは忘れられない。どうにも釈然としないまま、いま観たものをもういちど頭の中で上映し、思い出せるかぎりのシーンを再現するうち、もしかして、と少年の姿に思い当たった。

それからしばらくして二度目を観る機会があって、そこでようやく確信できたのだ。いったんそう思って観なおせば、少年はあおいさんに違いなく、表題になっている「口笛」を吹く重要な役を彼女らしくさわやかに演じていた。

また、その口笛の音色とメロディーが耳に残る心地良いもので、もしかすると、僕のひいき目というか、ひいき耳というのか、多少は惑わされている部分もあるかもしれなかったが、たとえ少年は脇役であっても、この映画にとって口笛は主役のようなものと言ってよかった。僕の耳に限らず、映画の中の登場人物たちの耳にも印象深く響き、忘れていた過去がよみがえるシーンの重要なきっかけになっていた。

三度目を観たとき、どういうものか僕は誇らしい気持ちになった。たぶん、その誇らしさのあまり、僕の無意識が口笛を忘れられないのだろう。それで何度も繰り返しているに違いない。だから、その曲が何という題名なのか僕にはどうでもよくて、むしろ、これがいつまで繰り返されるのか、その方が気になった。マダムの空想したシルクの声を、ちょっと聞いてみたい気もするのだが。

＊

ところが、思いがけず空想ではなく現実の教会を体験することになった。

「体験」はおおげさかもしれない。ただ、外から覗いただけのことなのだから。教会自体は、なにしろアパートのすぐ隣に建っているので、十字架を頂いたその存在はやはり大きいし、たとえ窓から眺めたりしなくても、鐘が聞こえるたび、そのたたずまいが十字架の白さとともに頭の中に浮かんでくる。

とはいえ、隣ではあっても、およそ教会には用事がなかった。

僕にとって教会は、もっぱら煙草を一服するときに窓から眺めるもので、いつからか、はじめて目にしたときの鮮やかさは感じられなくなっていた。ただやはり十字架の白さはまぶしく、視界を曇らせる煙草のけむりに、ときに罪悪感を覚えることもあるから、健康のためにはちょうどいい眺めかもしれない。

煙草を一本吸うあいだに教会以外には何ひとつ見るべきものがないので、いつでも僕は「静かで聖なるもの」と、「それを曇らせるけむり」に包まれ、そのどちらも人間が発明したものなのだ——と深刻ぶって考えたりした。

あんまり深刻になると、肺の中のけむりがだんだん重くなり、つい芝居がかった咳が出たりする。

そのときも、咳込んで目尻に涙をにじませ、そのうえ、まだ朝の起きたてだったから、霞んだ目が見たものは、どんよりした曖昧なものでしかなかった。

が、ふと見おろした通りを足早に歩いてきた人が、その歩き方ですぐに安藤さんだとわかった。足早であるのに、どこか悠々とした身のこなしで、とつぜん立ち止まって何をするのかと思えば、大きなくしゃみをひとつ。

一体どうしたのだろう、こんな時間にこんなところに——と僕が考える間もなく、迷わず安藤さんは教会の中にすっと消えていった。

安藤さんが隣の教会に来ているなど思いもよらなかった。もちろんそれまで目にしたこともなかったが、僕がアパートの場所を最初に安藤さんに伝えたとき、

「ああ、教会の……」

そう言ったきり、しばらく黙っていたのが思えば印象的だった。

僕は煙草をもみ消して窓を閉め、いつもより素早く歯を磨くと、そのあたりに散らばっていた服を身につけてストーブを指さして「消した」と声をあげた。それから「閉めました」と言ってドアをロックし、階段をかけおりてアパートの外へ飛び出した。

最初は、覗くつもりなどなかったのだ。

ことにそれが教会となれば、人目をはばかって中をうかがうのは、神を信じる信じないは別として、どうにも決まりが悪い。覗いている自分の方が誰かに覗かれているような気になってくる。

いや、ちょっとだけです——と、僕は誰に弁解しているのかわからなかったが、

開け放された教会の門を抜け、いつも窓から眺めるときに、たぶんあそこが礼拝堂だろうと見当をつけていた建物にそろそろと近づいていった。

必ずしも礼拝堂にいるとは限らないのに、なぜか間違いなくそうだろうという思いがあって、門と同じように開かれたままの扉の脇に立って中を覗くと、かすかな声がふたつ。目に映った光景に牧師さんらしき人と安藤さん――やはりそうだった――の後ろ姿が見え、安藤さんの声はつぶやきに近く、かろうじて耳に届いた牧師さんの声は、「もう、そんなになりましたか」と確かにそう聞こえてきた。それはマダムの望むシルクの声ではなかったけれど、どこか元気のない安藤さんを励ます快活な声だった。

天井近くのいくつかの小さな窓から朝の光が整列して射し込み、その光がまぶしいのか、安藤さんは向こうを――十字架の像がある方を向いて隅に移動し、光の当たらぬ薄暗いところで体を小さくしたまま両手を合わせていた。

それは、これまでに二度ばかり目にしたリツ君の後ろ姿にそっくりで、親子だから似ているというのではなく、ふたりがそれぞれに祈る声が、背を向けたまま静かにそこで重なっているように思えた。

僕は体が宙に二センチくらい浮いてしまった感じで、それからのことはよく覚えていない。とにかくいつもどおりに〈トロワ〉に出勤し、安藤さんがいないことはわかっていたから、自分で鍵をあけて朝一番の調理場に入った。

そして、いつもよりずっと早いペースで、サンドイッチの下ごしらえとスープの準備を何も考えずに集中して始めた。

＊

スープの評判はそう悪くもなかった。

始めてからまだ一カ月あまりだし、売れゆきがいいとは言えないものの、「へえ」「ほう」「ふうん」と冷やかし半分で買ってくれたお客さんたちが、次に来たときに、「スープおいしかったよ」と笑顔で声をかけてくれた。

この仕事のいいところは送り出したものに笑顔が返ってくることかもしれない。中には、かつての僕のように、笑顔を通りこして「本当においしいです」と感心ばかりする人もいるが、思えば会社勤めのころはそんなこともなかったし、いや、笑顔もあるにはあったろうけど、それが誰のどんな笑顔であったかひとつも思い出せなかった。

が、〈トロワ〉で働くようになって、店先で直接お客さんと顔を合わせているうち、仕事というのは誰かのためにすることなのだと当たり前のことに思い至った。その「誰か」をできるだけ笑顔の方に近づけること——それが仕事の正体ではないか。どんな職種であれ、それが仕事と呼ばれるものであれば、それはいつでも人の笑顔を目ざしている。

そう考えてみれば、サンドイッチやスープをつくって手渡すことは、何人もの笑顔を最前列で見られる貴重な仕事のひとつかもしれなかった。もちろんそんな単純なことだけではないし、いつでも返ってくるのが笑顔とは限らず、笑顔がなければときには不安にもなって、不安もまた同じように最前列で味わうことになる。

このところの僕の不安は、スープを買ってくれた緑色の帽子のおばあちゃんが、はたして僕のつくったスープを、おいしいと感じてくれたかどうか——。

考えないようにしようと思っても、つい考えてしまうのが不安の厄介なところで、つまり僕は、考えるべきことについてはぼんやりし、考えないようにしようと思ったことばかり考えていた。

そうして、頭がこんがらがってきたところで、救いのように水曜日がやってきた。神様なのか誰なのか知らないけれど、一週間にいちど休みの日をつくろうと思いついた人は素晴らしい。

日記風に書くと——。

水曜日。晴れ。朝起きて布団を干し、窓から見えた隣の十字架に個人的に祈りを捧げる。今日は日曜ではないけれど、〈トロワ〉の定休日なので、週に一度の礼拝は水曜日の朝に繰り上げることにしている。

午後は頭を空っぽにして〈月舟シネマ〉へ——。

僕の教会は映画館なのかもしれなかった。これは冗談ではなく。

いぜんとして〈月舟シネマ〉は、僕のいいかげんな入れ知恵により、プログラムに松原あおいさんの出演する映画を律義に組み込んでいた。僕にとって、より都合の良い入れ知恵なので、僕がまだ観たことのないあおいさんの作品がつづけて上映されている。

週に一度、わずか数十秒とはいうものの、それまで目にしたことのなかったあおいさんの姿を次々と見ることができた。それが脇役を追いかける愉しみで、口笛を吹く少年になったかと思えば、くたびれ果てた毒婦にもなったりする。

今日はどんな――と、まるで見当もつかない役どころを考えながら映画館に着くと、チケット売場には人影がなく、いつもの犬だけが番犬になって、じっと僕の顔を見あげていた。

「留守番？」と犬に声をかけると、犬はもちろん「そうです」などと答えないが、かわりに館内からセリフと音楽がひとつになったものがずしんと響いてきた。あわてて腕時計を確かめると、三十分前に見たときと同じ時間のまま針がとまっている。たぶん電池が切れてしまったのだろう。

まいったなぁ、と犬の顔を見ると、背後から「あれっ」と声がして、ポップコーン係の青年が――いまは臨時の館主だが――「まだ始まったばかりです。急いでください」と中に入るよう背中を押してくれた。

「お金はあとでいいです」

言われるままそのとおりにしたものの、そんなに急がなくてもいつもどおり席は空いていて、スクリーンの光を浴びながら適当な席に腰をおろし、あらかじめ買っておいたポップコーンを鞄から取り出して不器用な手つきで封を切りひらいた。困ったことに、奇しくもそれがあおいさんの登場するシーンにちょうど重なってしまい、画面に見とれていたせいでポップコーンがあたりに散らばってしまった。

こんなに早く——と思わず座りなおすと、またポップコーンがこぼれて足もとに散らばる。とそのとき、客席の誰かがこちらを見たような気がした。が、僕はそれどころではなく、それからしばらく画面から目を離せなくなった。

腕時計がとまっていたので正確な分数はわからない。でも、それは僕がこれまでに観たあおいさんの映画の中で、最も出演時間の長いものだと断言できる。そのうえ、少年でも毒婦でもなく、ごく普通の若い女性を演じていたから、僕はそれで初めて、素に近いあおいさんの顔を長いあいだ観ることができた。

映画の中では夢のようなことが、しばしば起きるものだけれど、他の誰もが退屈にしか思わなかったはずのそのシーンを、僕ひとりだけが言い知れぬ幸福感とともに見入っていた。

上映が終わって場内に明かりがついても、しばらくのあいだ甘いものが残って、足もとに驚くほど散らばっているポップコーンに気づくと、夢中になるのは、いいことだけどね、とマダムの言葉が思い出された。

それでもまだ僕はぼんやりしていたのか、散らばったポップコーンを拾いあつめて顔をあげたとたん、あの「口笛」がどこからか聞こえ、同時に視界の隅に「緑色の帽子」が浮かび上がってゆっくり遠のいていった。

ロビーを立ち去ろうとするその後ろ姿に口笛が重なって聞こえる——。

ずっと気づかずにいたことに、僕がようやく気づいたのはそのときだった。

遠まわり

朝早くに二番目の姉から電話があって、「今日これから、ちょっと時間ある？」と出し抜けにそう言われて少なからず驚いてしまった。

普通なら——このごろどう？　お母さんが電話しろってうるさいから。わたしはあなたがどうなろうと知らないけど、なにしろ母さんがね——と長い前置きがあるところなのに、姉はめずらしく名乗りもせずに用件から切り出した。

「いい気持ちで寝てたのに」と僕はわざと大きな舌打ちをしたが、

「まだ寝てたの？　それなら時間はあるわけね」と姉はまるでひるまない。

「いや、今日は仕事が休みだから」

横目でカレンダーを確かめたが、姉は「あら、そうなの」と声がひときわ大きくなって、「それならちょうどいいわ。あとでお邪魔するから」

それだけ言うと、あっさり切ってしまった。目覚めが悪いとはこのことだろう。だいたい「お邪魔する」などと簡単に言うけれど、姉は前に来たときも、

「住所がわかってるんだから、そのうちたどり着くでしょ」

途中でそんな電話をかけてきたのに、待てど暮らせど一時間近く経っても現れなかった。さすがに心配になって、こちらから姉の携帯電話を呼び出すと、

「すぐそばまで来てると思うんだけど」

その声が、ずいぶんくたびれて姉らしくなかった。たぶん道に迷って、えんえん歩きまわっていたのだろう。

「いま、どのあたり？」と訊いてみると、

「それがわかったら、もう着いてるわよ」と、もっともなことを言う。

「じゃあ、まわりに何か見えない？　ここは教会のそばなんだけど」

「教会？　そうねぇ、お風呂屋さんの煙突なら見えるけど」

「煙突？」

僕のアパートがあるこの界隈には銭湯がなく、いちばん近いのは隣駅の商店街の

はずれにあった。アパートの窓から望む煙突はかなり遠い。

「じゃあ、そこから動かないで」

結局、煙突を目ざして迎えにゆく羽目になった。ただ、そんなことはいまさら驚くことではなく、姉の方向音痴は昔から人並はずれて有名だった。もし「迷子」のコンテストなるものがあったら――まさかそんなものはないだろうけれど――彼女はおそらく「天才」と呼ばれたに違いない。

それはつまり宿命的なもので、「短気」で「あわて者」でありながら「自信家」であった父の血を姉がそっくり引いてしまったのだ。母がよく嘆いていた。自信たっぷりに道を間違え、およそ誰も想像できないような道のりを引き返すこともなくひたすら歩きつづける――ありし日の父とまったく同じように姉はそれを繰り返していた。

それでいて誰よりも早く目的地に到着したいのか、いつでも先頭を歩き、その結果、多くの人を「迷子」の巻き添えにした前科もある。そこまでゆくと芸術的と言いたいくらいで、迷子もたび重なれば、それなりの自己表現になった。なにしろ本人は周囲の心配をよそに、いたってけろりとしているのだから、彼女は父以上の大物なのかもしれない。

「迷子になったぶん、余計にいろんなものが見れたし」

そんなふうに、あくまで前向きなところも姉らしく、たとえば、子供のときの学校の帰り道も、姉はおそらく毎日のように違う道で帰ってきたはずだ。それはいわば遠まわりで、公園の花がきれいだったとか、どぶ川に魚が泳いでいるのを見つけたとか、お好み焼き屋の前でいい匂いを吸い込んできたとか、帰ってくるなり、そんなあれこれを楽しそうに話して聞かせてくれた。もちろん正しい通学路には公園も川もお好み焼き屋もなく、それらはいずれも姉だけの「遠まわり」の途中にしか存在しない。

「おもしろかったぁ」

自信をもって迷っているので、たぶん不安もないのだろう。もしかすると、不安さえなければ迷子は案外楽しいのかもしれない――隣で姉を見るうちに僕もいつからかそう思うようになった。

影響を受けたと言ってもいい。

＊

そんな姉が、驚いたことに迷わず僕のアパートまでまっすぐやって来た。

「これ、あなたにもおすそわけ」

茶色い紙袋を差し出すので、何かと思えば「おいしいパンよ」とそれしか言わない。「よく知らないけど、母さんがどこかで買ってきたの」

紙袋には〈グレーテル〉と店の名前が控えめに刷ってあった。さらにもっと小さな字で「おいしいパンの店」とある。「どこかで」と姉が首をかしげながら言ったように、住所の表記がどこにも見当たらなかった。

「なんでもいいけど、ちょうどいいや。まだ何も食べてないから」

思いがけず姉がすんなり現れてしまったので、僕はまだ食事をとる間もなく、目の前の「おいしいパンの店」なる謳い文句に心から惹かれていた。

というか、実際とてもおいしそうだったのだ。何の飾りもないロール・パンだったが、手にした感じに少し重みがあって、表面がこれ見よがしにテカテカしていなかった。それに「おいしいパン」は、これからの〈トロワ〉にとっても重要な課題で、いずれサンドイッチに使うパンを自分たちで焼いてみたいと、ついこのあいだも安藤さんと話し合ったばかりだった。

「コーヒー、いれてあげようか」

「そんなこと言って、自分が飲みたいんでしょ」

「バレたか」

「でも、ホント言うとわたしも喉が渇いて。途中で寄り道して何か飲もうと思ったんだけど、地図があったから、すぐ着いちゃった」

姉が手にしていたのは、僕のアパートがある辺りを中心にした詳細な地図で、姉が言うには「インターネットで調べてプリントアウトしてきた」ものらしい。

「インターネットってことは、パソコンを使ってるんだ」

「最近、ちょっとね」

「ふうん」

ふうん、としか言いようがなかった。僕はまったくその手のものにうとくて、会社も外まわりの仕事ばかりだったせいもあり、パソコンは少しだけ覚えたきり触れたこともなかった。

一方、男まさりの姉は父の跡を継いで実家の和菓子屋を母とふたりで切り盛りしていたから、会社勤めの経験もなく、やはりパソコンには縁遠い生活を送っていた。

「いちいち面倒よね、覚えるのが」

「そう、面倒くさいだけだよ、あんなもの」

二人して意気投合していたのに、いつのまにか姉は裏切って「プリントアウト」なんかしているのだ。

「ふうん」

もう一度そう言いながらコーヒー豆を挽き始めたら、今度は姉が「ふうん」とうなずいて、「ちゃんと豆から挽くんだ。感心、感心」と茶化すように囃した。

「いや、最近ね」と僕も姉と同じ口調になる。

「それってもしかして、サンドイッチ屋さんで働いてるから?」

「いや、それとは関係ないよ」

そう言ったものの、じつは関係ないこともなかった。

あるとき、安藤さんがそそくさとコーヒー・ミルを取り出してきて、「駅前のやつより少しはいいよ」と、ていねいに時間をかけていれてくれた一杯が驚くほどおいしかった。さっそく真似してみたものの、僕がいれたものは、それこそ「駅前のより少しいい」という程度にしかならない。

その「少しいい」コーヒーを、姉は口をつけるたび「あら、おいしい」と本気で喜んだ。僕は僕で、バターも塗らずに試してみたロール・パンがおいしくて、食べるごとに、どうしてなのかさらにおいしくなってきた。

「なんだろう、このパン」

「そうなのよ、変なパンでしょう?」

「ひと口めより、ふた口めの方がおいしいけど」

「そうなのよ。でも、よく考えてみると、本当においしいものって、そういうもんじゃないの?」

姉はそんなふうに、ときどきおかしなところで自分なりの哲学を披露することがあった。そうして自分の言葉に自分で感心してうなずいたりしている。

「それにしても、この〈グレーテル〉っていう店、どこにあるのかね」

僕があらためてそう言うと、姉は僕の顔をちらりと見て、

「じつを言うと、その話なのよ。今日来たのは」

ハンカチでしきりに口もとを拭いながら言った。

「その話って、〈グレーテル〉の？」

「そうじゃなくて、母さんの」

「母さん？」

「あのね、このごろ少し店が閑なのよ。前から言ってるけど、お客さんが減ってきてね。それでお母さん、閑を持て余してはどこかへ出かけてゆくわけ。どこへ行くとも言わないんだけど」

「ふうん」

「でね、それは別にいいの。どこへでも行けばいいと思うし。元気な証拠だしね。問題は、忘れたころになって電話をかけてきて、なんだか自分がどこにいるのかわからないって、そう言うのよ。あのね、これ、わたしの話じゃないのよ」

僕はそこで思わず吹き出しそうになった。自分がどこにいるのかわからなくて電話をかけてくるのは姉の十八番で、それを誰より嘆いていたのが母だったのだ。

「笑いごとじゃないのよ」

「ということは――」

「そうじゃないの。物忘れがひどいとか、ボケたとかそういうことじゃなくて、とにかく、東京は変わったねぇってそればかり言うのよ。それでいて、なんだか妙に嬉しそうにして出かけてゆくわけ。それってどういうことだと思う？　何か思い当たることでもある？」

もしかすると姉にはわからないのかもしれないが、僕にはなんとなく母の気持ちがわかるような気がした。母はおそらく姉がこれまで繰り返してきた「遠まわり」を、いまごろになって自分で楽しんでいる――。

というのも、姉が言うとおり、最近になって僕は僕で思い当たることがあって、それは、姉は本当のところ「正しい通学路」を知っていたんじゃないか――と今になってそう思えるのだ。正しい道を知っていながら、わざと遠まわりをして楽しんでいた。

そうなんじゃない？　違うの？

はっきり本人にそう訊いてみたかったが、たぶん姉は「そんなわけないでしょ」と笑うだけだろう。

それでも僕は、姉が「知らぬふり」をしていたような気がして、その「知らぬふり」という言葉が、ふいに目の前に立ちあがって大きくなったのは、リツ君がその言葉を口にしたときのことだった。

「ねぇ、オーリィさん」とリツ君は学校から帰ってくると、かならず調理場の僕のところに来て、その日、学校で教わったことや疑問に感じたことを話しかけてきた。

「変なこと訊いてもいいですか?」

それが彼の決まり文句だった。

「あの、シランプリってあるでしょう?」

「え?」

「あの、本当は知ってるのに知らないふりをするとか」

「ああ、知らんぷりね」

「その、知らんぷりするっていうのと、嘘をつくっていうのは、おんなじことなんですか?」

意表をつかれてすぐには答えられなかったが、よく考えてみても、

「ええと、そうだね……同じ? いや待って……違う……んじゃないかな」

考えるほどに頭が混乱するばかりだった。

「どうしてまたそんなことを？」

「いや、なんでもないんですけど」と彼らしくなく歯切れが悪かった。

結局、その話はそれきりになってしまったが、「知らんぷり」という言葉がどこかに残って、それがいつのまにか、姉の「遠まわり」と結びついていた。

＊

姉が「じゃあ、また」と帰ったあと、僕は流しで洗いものをしながら壁の時計を眺め、さて、今日は〈月舟シネマ〉に行こうか行くまいかとしばらく考えあぐねていた。

行けば、もしかすると緑色の帽子のおばあちゃんに会えるかもしれない——というか、たぶん、いや、十中八九、あのおばあちゃんはあおいさんで……いや、それともよく似た人なのか。いやいや、やっぱりそうに決まっている。いつも観に来ていたし。きっと自分が出演した映画をもういちど観なおしているのだ。このあいだ、はっきりそれがわかった。なにしろ、あの口笛を吹いていたし、間違いない。

で？　もし、そうなんだとして、それで？

たとえば、さりげなく「こんにちは」と話しかけて、このあいだのスープはいかがでしたかと、まずはそんなことを訊いてみたりして。それで少し話がはずんだら、すかさず映画の話に移って、僕は昔の映画が好きで、それにはひとつ理由がありまして、つまり好きな女優さんがいるのです。ただ、その人は脇役しか演じないので、誰も知らない……は言い過ぎか……ええと……知る人ぞ知る女優さんで、それであの……その……つまり……。

駄目だ。やっぱりうまく話せない。

洗いものを終え、次は洗濯にとりかかり、それからまた壁の時計を眺めて、洗ったばかりのコップに冷蔵庫で冷やしておいた水を注いだ。

目をつむってひと息に飲みほす。

テーブルの上の皿に食べ残したロール・パンがひとつ所在なげに載っていた。姉がそうしたのか〈グレーテル〉の紙袋がきちんと折りたたんで並べてある。最初、目にしたときも思ったが、それはどこか〈トロワ〉の紙袋に似て、その〈グレーテル〉という、どこにあるのかもわからないパン屋が、〈トロワ〉の店先と重なって頭の中に形を成しつつあった。

小さな店で、商店街のはずれにある。

店主は女性かもしれない。子供のときに読んだグリムの童話では、たしかヘンゼルが兄でグレーテルは妹だった。妹なのだから、きっと小柄な女性だろう。小さな手で誰にも食べやすい小さなパンばかりをつくる。小さいけれど決して軽くはない。ずっしり食べごたえがある。朝と昼に沢山お客さんが来るけれど、彼らの顔はもうひとつよくわからない――。

というのも、僕の空想する店先の光景は、お客さんが皆こちらに背を向けていて、ちょうど〈月舟シネマ〉でそうするように、いちばん後ろの席から観客の頭だけを眺めているように見える。

そこには昔から知ったなじんだ空気が流れていて、顔は見えないとしても、僕はその人たちのことを知っているようで知らないし、知らないようで、じつはよく知っていた。

たとえば、いちばん右はしで背を丸めている男性は、どうやら犬を置き去りにして姿を消した〈月舟シネマ〉の館主ではないだろうか。それに、その隣に立っている髪の長い女性は、もしかするとリツ君のお母さんではないか。それだけではない。よく見れば、父の後ろ姿もあるし、その手前で背のびをして店の中を覗こうとしているのは、毎日、違う道で帰ってきた子供のころの姉に似ている。

肝心の店の中は、皆の頭で隠れてはっきり見えないが、かろうじて、小柄な女性が笑顔を振りまいているのがわかった。

――と、その笑顔の前に立ちふさがっていた誰かの頭が横に動き、その瞬間、僕は反射的に腕時計を確かめていた。が、時計は電池切れでとまったままで、仕方なく頭の中で、一、二、三……と、彼女がスクリーンに映っている時間を確かめた。小柄であるのが少し腑に落ちないけれど、少年すら演じてみせたあおいさんなのだから、小さなパン屋の小さな店主だって難なく演じるはずだ。

四、五、六……。

ほら、見てください。彼女が笑ってます。

隣に座っていた緑色の帽子のおばあちゃんに声をかけ、僕はあまりに夢中になりすぎて、またしても足もとにポップコーンを散らかしていた。

「あら、本当」

おばあちゃん――いや、隣のあおいさんも一緒になって笑い、

「みんな、遠まわりしてるのね」

静かな声で、ひとりごとのように言った。

「ねぇ」と笑いかけるその顔が、そのうちなぜかリツ君の顔に変わって、「ねぇ、オーリィさん」といつものようにせがむので、「変なこと訊いてもいいですか？」とつづくのかと思ったら、「風邪ひきますよ」と僕の体を揺さぶっていた。

――起きてください。

何度も繰り返しそう言って、最初は遠くに聞こえるようだったその声が、いきなり耳もとでつんざくように大きくなった。

「起きてくださいっ」

気づくと洗濯機の音がやんでいた。

薄暗くなった部屋に誰かの気配があり、おそるおそる振り向いてみると、思わず「うわっ」と声が出て、一緒になって彼も――リツ君も――「うわぁ」と声をあげて後ずさりしていた。

「びっくりしたぁ」

それは、こっちのセリフだった。というより、これはまだ夢のつづきなのか、どうしてリツ君が僕の部屋にいるのかわからない。

「鍵があいたままでした」

そういえば、姉が帰ったときにロックをし忘れたのかもしれず、よく覚えていないけれど、なんだか姉が来たことさえ夢だったような気がしてきた。

が、テーブルの上にはロール・パンと〈グレーテル〉の紙袋が並んでいる。

考えてみれば、朝早くに姉の電話に起こされ、それで眠り足りなくてテーブルの上でうたた寝してしまったのだろう。それにしても――。

「なんで、リツ君がここにいるんだっけ」

訊いても何も答えないリツ君をよく見ると、どこに行くのか、大きな鞄を重たげに肩から提げてうつむいていた。

「その荷物は？　どこか行くの？」

「そうじゃなくて」とリツ君はうつむいたまま後ろ向きになり、たったいま見た夢の中の人たちのように背中だけしかこちらに見せようとしなかった。

「あの、ここに泊めてほしいんです」

リッ君がそう言ったとたん、僕の携帯電話のベルが鳴って、手に取ると朝と同じように姉の名前がディスプレイに浮かび上がっていた。

「もしもし」と出ると姉はまた名乗りもせず、

「〈グレーテル〉がどこにあるか調べてみたの」

姉らしくないいやけに明るい声が耳に痛かった。

また、プリントアウトをしたのだろうか。

話しつづける姉の声を遠ざけるように電話を耳から離し、僕はリッ君の背中を見ながら「知らぬふり」という言葉をもういちど胸の中に呼び戻した。

もう、遠まわりはしないの?

姉にそう訊いてみたかった。

宙返り

じゃがいものはいったスペイン風オムレツを平たく焼いてパンにはさむ。オムレツの表面には、ゆるめにといたケチャップがさっと塗ってあるだけ。じゃがいもにしても卵にしても淡い味だが、嚙みしめるほどに、ほのかなケチャップの甘味が利いてきて、たしかに安藤さんが「なかなかの傑作」というだけのことはあった。〈トロワ〉の新しいメニューだ。

こんなのも、たまにはいいんじゃないかと軽い気持ちで安藤さんはこしらえたようだったが、予想以上に人気があって、沢山つくっても必ず売り切れになった。

それなら、このオムレツ・サンドに合ったスープは何だろうと、僕は僕で新しいメニューを摸索していた。

店が終わったあと、試作したスープを安藤さんに味見してもらっていたが、そういうときだけ安藤さんは驚くほど饒舌になり、ふだんの会話では決して使わないような表現がいくつも飛び出してきた。

「深いところから湧き出るじんわりした味」とか、「思いがけない一瞬が隠れている味」とか、「足りなかったところを、ぴたりと収めてくれる味」——等々。

そうしてひとしきり話し合ったところで、ふとリツ君のことを思い出し、「そういえば」と切り出すと、とたんに安藤さんは口数が少なくなってしまった。

「まぁ、よろしく頼むよ」

リツ君が身のまわりのものを鞄に詰めて僕のアパートに家出——というほどのものでもないけれど——してきた日、すぐに電話で安藤さんに報告したところ、「ああ、すまないね」と何度か言って、それ以上、何も話してくれなかった。

「僕は別にかまわないんですけど」

僕としてはそう答えるしかなく、リツ君はリツ君で何も言わないし、ふたりのあいだに何があったのか最初はよくわからなかった。

「よろしく頼むって、お父さん言ってたよ」

電話を切ってリツ君にそう伝えると、彼はほっとしたのか急にお腹を鳴らし、残りもののロール・パンを息もつかずに食べると、今度は鞄の中から枕を取り出すなり「毛布を忘れてきた」と、ぼそりとつぶやいた。

「毛布だったら余分があるよ」

「いえ、いいんです。今日だけ貸してください。よろしくお願いします」

彼らしくかしこまって、きちんと頭をさげた。

「明日、取ってきますから」

そう予告したとおり、次の日の夕方、〈トロワ〉で後片づけをしていたら、学校帰りのリツ君が忍び足で店に入ってきて、安藤さんの視線を避けながらそっと二階にのぼっていった。僕と安藤さんは知らぬふりで後片づけをつづけていたが、そのうちまた音もなくリツ君は階段をおりてきて、大きな紙袋に毛布の他にもあれこれ押し込んで、そのまま忍び足で出て行こうとした。

「ちょっと待った。どこに行くつもり?」

丸めた背中に訊いてみると、

「オーリィさんのアパートです」

かすかな声でそう答えるので、

「だって、鍵を持ってないだろう」

ちょっと意地悪くそう言ってみたら、

「いえ、持ってます」

ポケットを探って、たしかに僕の部屋の鍵を取り出して見せたのには、さすがに驚いた。

「どうして」と訊くと、アパートに帰ってドアが開かなくて困っていたら、たまたまマダムが通りかかって、そんなことならと、合い鍵を貸してくれたという。そういう要領のよさは、どこか不器用な父親と違い、リツ君ならではの面目躍如と言ってよかった。

そもそも、家出先を僕のところに選んだのも的確な選択で、安藤さんが「頼むよ」と言えば僕は断れないし、どういうわけか、マダムまでがいつになく喜んで、「いいじゃないの、ひとりだち」と、無責任なことを言っては何かとリツ君の味方になっていた。

「だって、まだ小学生なんですよ」

「立派じゃないの。オーリィ君みたいな甘えん坊とちがって、リツ君は親ばなれが早いのよ」

おまけにマダムは、リツ君が〈トロワ〉の安藤さんの息子だと知ると、

「あら、そうなの。それならリツ君は今日からうちで晩ごはん食べちゃいなさい」

そんなことまで言い出して、「いや、それは悪いですよ」と、いったんはそう言った僕も、いつのまにか「一緒にどうぞ」と招ばれるままマダムの食卓で夕食をとるようになっていた。

「楽しいわね。お父さんも来ればいいのに」

ひたすら顔がほころんでいるマダムはいいとしても、僕としてはリツ君がどうして安藤さんに反発しているのか、そこのところを確かめておきたかった。

「どうでもいいじゃない、そんなこと」

マダムはリツ君の御飯をおかわりしながら僕を睨み、「でも、言いたかったら言ってもいいのよ」と、うつむき加減のリツ君に優しい声をかけ、ついでに僕にさっと目くばせをすると、ココハ、ワタシニマカセテといわんばかりの顔をしてみせた。

と、リツ君はおもむろに顔をあげ、「たいしたことじゃないんですけど」と、いつもの調子で話し始めて、「宙返りの話になって」と息をついた。

「宙返り？」

　マダムと僕が声をそろえて訊くと、

「空中一回転のことなんですけど、親父が宙返りと言ったから……。あの、最初は親父が、最近、学校で何か楽しいことはあるかと訊いたんで、空中一回転の練習をしていると言ったら、急に、何だそれはって怒り出して」

「ふうん」と僕とマダム。

「あのさ、その空中一回転っていうのは、つまり、リツ君がするわけ？」

　念のため訊いてみたところ、

「もちろんそうですよ。森田君が来てから、うちのクラスで流行ってるんです」

「森田君って？」

「来たばかりの転校生で、色が黒くて、背は低いけど、空中一回転とかバク転とかが、すっごくうまくて、すっごいカッコいいんです」

「ふうん」と僕とマダム。

「どんなふうにやるのか森田君に教えてもらっていたら、体育の先生も手伝ってくれるようになって、それから放課後に体育館で練習してるんですけど」

「ねぇ、それ、ちょっといいことじゃない？」とマダムは腑に落ちないようで、

「どうしてそれをお父さんは怒るのかしら」

「真似するなって」

リツ君が急に声を大きくしてそう答えた。

「ちょっとカッコいいからって、すぐ真似するのはダメだって」

「ああ、なんかそれ、わかるなぁ、わたし」

マダムの顔に赤みがさしたのは僕の気のせいだったろうか。

「あのお父さんなら、きっとそう言うわよ」

たしかにマダムの言うとおりなのだが、当の安藤さんに憧れ、いちいち安藤さんの真似ばかりしている僕にしてみれば、どうにもきまりの悪い話ではある。


その夜に見た夢の中で、どうやら僕は長い宙返りをしているようだった。

まるで宇宙遊泳みたいにすべてがスローモーションで、助走やジャンプをした記憶はないのに、体は宙にあり、上も下もわからないまま、ゆったりと回転している。

悪い気分ではなかった。どこに着地するのかわからないし、どこをどう漂ってい

るのかもわからないが、自分で自分の体を回転させているという実感はあって、しばらくそのまま身を委ね、ふと気づくと、すぐ隣でリツ君もまたスローモーションになって宙返りをしていた。

というか、それはたしかにリツ君なのに、どことなく大人びていて、少年というより青年と呼ぶべき体格になっている。

「やあ、オーリィさん」と話しかけてくる声も変声期を過ぎた野太い声だった。

「どうですか、ぼく、ちょっとうまくなったでしょう?」

そう言って身軽に体を回転させ、体操選手さながらの宙返りをいともたやすく披露してみせた。が、僕にはどうも、リツ君と「宙返り」とがもうひとつ結びつかなかった。

「どうしてリツ君は宙返りを?」と、いまさらのように訊くと、「だって、自由ですから」と彼は白い歯を見せてそう答えた。

「自由って?」

「何も持たないで、体ひとつでふわりとなる感じです」

そんなカッコいいことを言いながらも、どうしたことか彼の体には重たそうな毛布がまとわりつき、「あれ？　なんだこれ」と、しきりにもがくうち、みるみる体も声も青年から少年に戻りつつあった。みっともないくらいジタバタしながら「しまった」とか「落ちる」などと叫んでいる。

「やだ、戻りたくない。もう少しここにいたい」

すっかり元のリツ君の声だった。

「やだぁぁ」

伸ばした声が尾をひいて、そこでようやく僕は夢から覚めると、隣でリツ君が本当にジタバタして体中に毛布がからまっていた。彼は彼でどんな夢を見ているのか、うんうん唸りながら何かと格闘している。

「おい、大丈夫か」

毛布をいったん引きはがしてかけなおすと、彼の格闘はようやくおさまったらしく、目覚めることもなく、そのままおだやかな顔に落ち着いていった。

また夢の中の宙返りに戻ったのか。

僕の体にもその浮遊の感覚がまだぼんやりと残っていた。

＊

連日、ごちそうになってばかりでは申しわけないので、火曜日の夕食のあと「明日は僕が晩ごはんをつくります」とマダムに申し出てみた。

「ねぇ、それってもしかして、毒味じゃないの？」

まったくもってマダムは鋭い人だった。

試行錯誤を繰り返し、ようやく完成したのは〈えんどう豆のポタージュ・スープ〉で、またしても安藤さんの言い方を真似れば「なかなかの傑作」に仕上がったと自負していた。あとは、マダムの「あら、これ、おいしい」の一言を聞いて安心したい。

当日は昼間から仕込みを始め、チキンを焼き、サラダをつくり、簡単ではあるけれど「ディナー」と呼べるひととおりのメニューをどうにか取り揃えた。

何よりマダムへの御礼の気持ちがあり、そのうえで僕は、とにかくマダムを驚かせたいという思いがあった。

この「驚く」というのが最近の発見で、何ごとにせよ「素晴らしい」よりも「美しい」よりも「おいしい」よりも、出来れば「驚いた」と誰かに言わせたかった。

ついでに僕自身も心から驚くことに出会えればなお良いのだが、どうやら歳をとるごとにそう簡単には驚かなくなり、おそらくそれは驚く気持ちの前に何かが立ちふさがるからに他ならなかった。

立ちふさがるのは、たぶん「冷静」とか「沈着」とか「平然」といったものだ。それはそれでときには必要なものであるからややっこしい。

その点、マダムは「冷静」と「驚き」をほどよく持ち合わせた人で、味見をしてもらうには、これ以上ない適切な人に違いなかった。

「さぁ、いいわよ。味見でも毒味でも、なんでもしてあげる」

夕方の早い時間に準備が整い、あとはリツ君の帰りを待つだけ——となったところで、その日はめずらしくリツ君が学校の友だちを連れて帰ってきた。

その友だちというのが——、

「ええと?」

マダムはリツ君が紹介してくれた少年の頭のてっぺんからつま先までを眺め、

「誰だったっけ？　森田君って」

「転校してきました」

森田君はまさしく「冷静」そのものといった感じで、姿勢よく一礼するなりそう答えた。リッ君にしてからが、そうとう大人びた、つまりは生意気な少年だったが、森田君はそれに輪をかけて大人――というか生意気――そうに見えた。

「ああ、宙返りの――」とマダムはようやく思い出し、「なるほど、カッコいいじゃないの」と、またてっぺんからつま先まで眺めた。

背筋をぴりっとさせた森田君は、

「あの、食事のお邪魔になりますので、私はすぐに帰ります」

聞き違いではなかった。彼はたしかに「僕」ではなく「私」とそう言っていた。

「いや、いまちょうどスープができたところなんですから、あの……どうぞ食べていって、いらっしゃってください」

なぜか僕もかしこまって言葉がおかしくなり、隣でマダムのニヤニヤが止まらなくなった。

で、リッ君はといえば、「どうぞ」と妙に紳士的で、なんというか、その場にいた四人が四人とも普通ではなかった。大人ふたりはへらへらと子供じみ、子供ふたりはやたらに大人びて礼儀正しい。

「いいんですか」と森田君はあくまでさわやかさを保ち、「いいのよ、いいのよ」とマダムは手早く食卓に並んでいたものを動かして彼の席をつくった。

そこから先はもう森田君のひとり舞台だった。といっても、まさか食卓で宙返りをしたわけではない。

「宙返りが得意なんだって?」とマダムが訊くと、

「はい、まぁ、少し」と恥ずかしそうに森田君は頭を掻いた。

「その、宙返りっていうのは、どんな感じなの?」

「ええとですね」——森田君はその質問に答え慣れているようだった。「世界がひっくり返るような感じです」

「自分じゃなくて?」

「はい、そこがコツなんです。空中で回転するときに頭だけを動かさないように注意するんです。本当は動いているんですけど、気持ちは動かないように、頭だけ宙に止めて体の全体をくるっと回すんです」

「ふうん」と僕とマダム。

「ぜんぜん難しいことじゃないんです。鉄棒なしで鉄棒をやる感じです。鉄棒は両手で体を支えますけど、空中回転は頭で支えるんです。頭が空中にあると自然と足が着地しますから」

ひととおり説明し終えると、彼は目の前のスープ——のことなど僕でさえ忘れていたけれど——をすすり、「おいしいです」とさわやかに笑って「うちのおばあちゃんは」と言いかけて、あわてて口もとをハンカチでぬぐった。

白いスープ皿に、えんどう豆をつぶしてつくった淡い緑色が、まだかろうじて湯気をたてている。

「おばあちゃんは——じゃなくて祖母は」

森田君はそこでまた恥ずかしそうに頭を掻いた。

「祖母はスープをつくるのがとても上手なんです」

「へえ」とスープをすすっていたマダムがスプーンを置いて顔をあげた。

「とてもおいしいんです。ちょうど昨日の夜に、これと同じ緑色のスープをつくって持って来てくれたんですけど」

「あ、一緒に住んでるわけじゃないのね」

マダムはいちいち興味津々のようだった。

「はい、祖母はちょっと離れたところに住んでいて、あの、うちの母が」

「いいよ、それは話さなくて」

リツ君が小声でそう言うと、森田君は急に口をとざし、それから姿勢を正してもうひと口しずかにスープをすすった。

＊

それから二、三日あと。

その日は〈トロワ〉に居残ってスープの改良を試みていたのだが、あまりに夢中になりすぎて空腹にも気づかないくらいだった。

思わぬ来客があったせいで、僕のつくったスープはどうもマダムの印象に残らなかったらしい。僕自身もまだ納得のいかないところがあったから、あともうひと息、と鍋の前で腕を組んでいた。

静まり返った調理場に、ため息と一緒に自分の空腹の音が響いた。壁の時計を見ると、とうに十時を過ぎ、さすがにスープを口にするのは辟易だったから、その日は帰りに駅前の〈幸来軒〉に寄ってゆくことにした。

しばらくマダムの手料理ばかりをいただいていたこともあり、そろそろそんなものを食べてみたい頃合いになっていたのだ。

それにしても人間は悲しいほど単純で、そんな単純な生きものがたくさん寄り集まって、店の中からはち切れんばかりにあふれ返っていた。赤いのれんをくぐると、いつものじゃがいも顔の大将の「おっしゃあ」が響く。

「おっしゃあ」は正確に言うと「おう、いらっしゃい」だろうが、ここでもいい大人が礼儀をわきまえず、子供じみた物言いで「おっしゃあ」だの「あしたぁ」などと吠えていた。ちなみに「あしたぁ」は「ありがとうございました」だ。

そんな野性語が飛びかう店内に、その日の僕の「驚き」が、そこだけ煤を掃いたように浮き上がっていた。

緑色の帽子――。

「あら、まぁ」と帽子の下の目が僕を見つけ、「こっちこっち」と呼び寄せると、

「ここで会えるなんて」とはずんだ声が若返って、それはやっぱりあおいさんの声に違いないと僕にはわかった。

あおいさんは——もう、あおいさんだということにする——まだ来たばかりのようで、「あのね」と手振りで僕を向かいの席に座らせると、何も訊いていないのに、

「息子と孫がこっちに越してきたのよ」

何かの話のつづきのようにそんなことを話し始めた。

「はい？」

まわりの酔客の声にまぎれてよく聞きとれず、「息子さん？」と訊き返すと、

「そうなの。あの……お嫁さんが亡くなっちゃってね」

声のトーンが少しずつ絞られていった。

「息子はともかく孫がかわいそうでね。近所にいいアパートが空いてたから、つい呼んじゃったの。だって……そういえばあなたもポップコーンばかり食べていたけど、宙返りなんかするような元気のいい子がコンビニのお弁当ばかりじゃ——」

「え？　ちょっと待ってください、いま宙返りと言いました？」

そこへちょうどあおいさんが頼んだ「大盛」がやってきて、

「なんだか、急にこんなものが食べたくなっちゃって」

孫の食生活を心配しながらも、自分は夜のおそくに夜鳴きそばを食べに来ているのだから、あおいさんもまた大人の中の子供なのかもしれなかった。

「あしたぁ」と威勢よく大将の声が響く。

秘密と恋人

深緑色のスニーカーを買ってみた。いつもなら靴は白か黒か。そのどちらかで気に入ったもの、そしてごく普通に安いものを選んできた。極端に安ければ疑うし、極端に高いのは手に取ることもない。

それで言うと、その「深緑色」は「手に取ることもない」に限りなく近かった。目ざといマダムは僕の足もとの変化にすぐ気づいて、「あら、それいいじゃない」と涼しい目をしている。

「何か特別なことでもあったんでしょう?」

例によって鋭い質問が飛んできた。

「いや、別に」

と答えながらも、僕は自然と顔がニヤけてしまい、マダムの言うとおり、たしかに「特別なこと」はあって、それを思い出すたび、ついニヤけてしまった。

「何があったの？」

「秘密ですよ」

「そりゃ、そうよね。秘密だからニヤニヤしちゃうんだものね」

言われてみればたしかにそのとおりで、さすがはマダムと思いながらも、僕の秘密は少々込み入ったところがあり、秘密にしていることの中に、またもうひとつ別の秘密が隠されてあった。そこを考えると、ニヤついた顔が、少々複雑になってくるのだが。

「それって、女のひとに関係あること？　もしかして恋人ができたとか」

マダムと話をしていると、せっかくの秘密がほどけて何もかもがお見通しになってしまいそうだった。

「それにしても、ちょっといい色よね、そのスニーカー」

買ってから気づいたのだが、その深緑色は、たぶん、あおいさんの帽子の色から連想したもので、だから、もちろん「女のひと」に関係があるし、もし、あおいさんの家に招ばれることがなかったら、僕は靴など新調することもなかっただろう。

でも、それは秘密にしなくてはならない。僕としては言いふらしたいくらいだが。

「誰にも言っては駄目ですよ」

念を押したのは、他でもない、あおいさんだった。

「みんなを驚かせましょう。あなたが、とびきりおいしいスープをつくるんです。大丈夫ですよ。わたしがひととおり教えてあげますから」

あおいさんとは、夜鳴きそば屋の〈幸来軒〉で二度つづけて偶然に顔を合わせた。その二度目のとき、あおいさんはひとさし指を唇の前に立てて、「秘密」と片目をつぶってそう言ったのだ。

「スープは簡単だけどむずかしいの」

ラーメンのスープをすするうち、いつのまにか僕のつくったスープの話になって、前にあおいさんが〈トロワ〉に来てくれたとき、僕のつくったかぼちゃのスープを買ってくれ、以来それきりになっていたことが気になって仕方なかった。はたして、あおいさんは「おいしい」と感じてくれたのかどうか——。

それとなく「どうでしたか」と訊いてみると、あおいさんは、うんうんとうなずいて、「あのね」とハンカチを取り出してひとしきり額の汗をぬぐった。

「はっきり言ってごめんなさい。でも、わたしのつくったスープの方が断然おいしいと思う。これは、わたしひとりが言うのじゃなく」

「ええ」と僕はすぐにそう応えた。「森田君が……いえ、あの宙返りの彼が、このあいだそう言ってました」

「ユウが？」

「ユウ君というんですね」

「どうして、わたしの孫を御存知なの？」

「ええ、たまたまリツ君とクラスが同じで――あ、リツ君というのは」

「知ってますよ。このあいだのサンドイッチ屋さんの、あのメガネ君でしょう？」

「ええ、そうです。いま、なんというか……たまたま彼が僕のところに居るので」

「それはもしかして家出をしてるという子？　その子のことならユウから聞きましたよ。仲良くなった友だちで、家出をしている子がいて、その子もやっぱりお母さんが――」

不意に途切れたあおいさんの声に代わってリツ君の言葉がよみがえり、このあいだ彼が言っていた「知らんぷり」と「嘘」が、どこかでこの話とつながっているのではないかと思いついた。といって、何がどうつながるのかよくわからないのだが、つながったものは、そのまま彼の家出にまで結びついているような気がする。

「よかったら、今度、わたしの家にいらっしゃい。スープをごちそうしてあげます。あなたのつくるスープは、どこか、わたしのつくるスープに似ていて、だからなのかしら、ちょっとじれったくなったの。もっとおいしくなるのにって。おせっかいだけどね、その秘密を伝授してあげます。ただしこのことは」

そこで、ひとさし指が、すっと唇に動いた。

「誰にも言っては駄目ですよ」

その仕草と声が、まだ僕の見ていないあおいさんの映画の一シーンを思わせた。音が聞こえたのではないかというくらい胸がどきりとして、思わずうつむくとラーメンのスープに自分の顔が映り、それはいつもどおりの僕の顔で、映画の中の時間から遠く歩いてきたのはあおいさんだけなのだという事実が、スープから立ちのぼる湯気にまみれて、ふつふつと湧き起こってきた。

もとより僕はスクリーンのこちら側にしかいない。ただ、いくら追いかけても届かなかったもどかしい距離が、いま、ラーメン丼ふたつ分にまで縮まって、まるで僕だけのための演技のように「駄目ですよ」と、あおいさんが僕を見ていた。僕があおいさんを見るのではなく。

そうして自分の置かれた状況を考えれば考えるほど胸が高鳴り、自分がこれまで思いを寄せてきたことを、目の前のあおいさんに打ち明けたいという欲求と、同時に、いますぐにこの場から走り去ってしまいたいほどの恥ずかしさが、いっぺんに立ち上がって、どうしていいかわからなくなった。

「いいですね?」

そう確かめるあおいさんの声も遠くにしか聞こえず、その帰り道、あれこれ考えながら歩くうち、

「ひどい靴だなぁ」

そんなひとりごとが口をついて出た。

*

じつは、新調したのは靴だけではない。

シャツもジーンズも「この際だから」とあたらしいものを買ったが、考えてみると何が「この際」なのかよくわからなかった。どこかへ遠出するわけでもないし、乗り慣れた路面電車で数駅行けば、あっというまに、あおいさんの家がある駅に着いてしまう。

それに、初めて会うのならいざ知らず、それどころか、このあいだ〈幸来軒〉で会ったときなど、僕はいつ買ったのか思い出せないような色褪せたトレーナーを着ていた。

いや、それでも、やはり今日は特別な日なのだ——僕の中のもうひとりの自分が主張し、まだ体になじんでいないおろしたてのシャツがよそよそしく、あたらしい靴のせいで二センチくらい背が高くなった気がした。

天気が良く空気が澄んでいたこともある。ふだん歩いている駅までの道が、すみずみまで磨かれているように感じられ、それはおそらく、いつもと違う時間帯の舗道を歩いているからで、そこに射し込む光の加減が微妙に違っていたせいだろう。

ときどき何年かに一度、そんな時間というか光に出くわす。肺の中や胃の中までもが洗浄されたようにすっきりし、あまりにすっきりして、そのうち自分の影さえ消えてなくなるのではないかと危ぶまれた。足が地に着いていない感じというか、夢で見た宙返りの感覚にも似ている。

そういえば、『影をなくした男』という昔のモノクロ映画があった。僕は観たことがないが、あおいさんに会うことは僕にとって「まだ見ぬ映画」を観ることだったから、頭の中にそんなモノクロの映像が自然と流れ、それが陽の光を浴びるうちにしだいに色彩を帯びていった。

妙な心持ちだった。

いつもは映画館の闇の中で影をなくすのに、今日は明るい光の中で我を忘れ、そうして気づくと僕は、いつのまにか教えられた住所にたどり着いていた。

目の前の一軒家は洋風の平屋で、もちろんモノクロではなく、家そのものの白いペンキの色や、庭からせり出した植物の緑や、ところどころにあしらわれたレンガの壁の色が、静かな住宅地にひっそり溶け込んでいた。

表札に小さく〈ＭＯＲＩＴＡ〉とあり、その下に郵便受けがあって、それが子供の背丈ほどのひょろりとした流木に取り付けられていた。流木は土の地面に打ち込まれ、いわば門柱代わりで、他に門や玄関と呼ぶべきものは見当たらない。

流木の向こうに繁る植物に誘われながら足を踏み入れると、そのまま土の地面がつづいて、そういえば久しく土を踏んでいなかったと、あたらしい靴が汚れることもかまわず、その感触を味わった。

他人の家を訪れ、まだ呼び鈴も押していないのに、いきなり土や草の匂いに囲まれているのが不思議でならなかった。そうして家を取り囲む庭とも小道ともつかない土の領域を踏みしめ、建物を半ばまわり込んだところにさしかかると、そこにゆったりした大きな玄関が唐突に現れ、土の匂いとは別に、バターと玉ねぎが溶け合った甘い香りが鼻先に漂ってきた。

そこにはどこか風通しの良さがあり、夏でもないのに、海のそばの家に遊びにいったときのような解放感があった。呼び鈴を押すと、中で鳴っているチャイムが外まで響き、鳴り終わらぬうちに「はあい」と、あおいさんの声が重なって聞こえた。

ドアが開くと、ほの甘い香りが玄関にたちこめた。

＊

それからの数時間、僕はまさに影をなくした男のようだった、終始、淡い光の中を浮遊し、影をなくしてしまったら「冷静」も「沈着」も「平然」も消えてなくなり、さらには「驚き」までもが消え、つまりはどうにもならなかった。もっと正確に言うと、あまりよく覚えていない。

「ええと」と「はぁ」と「うわぁ」の三つしか口にしなかったのではないか。それに引き換え、あおいさんはとてもよく喋って、そのうち何を言っても「はぁ」としか答えない僕が、じれったくなったのだろう。

「さぁ、そこに大人しく座って。あなたは何もしなくていいから」

そこには大きな食卓があった。

というより、その部屋には大きな食卓しかなく、四本の脚が見たこともないくらい太くがっしりして、テーブル・クロスもなく、いくつものグラスの跡や、焦げつきや、ソースの染みらしきものが点々と残されていた。

「本当に何もない家でしょう？　わたしはね、食べることと、お昼寝と、本を読むことだけ。その他には何もいらないの」

ざっと見渡したところ本はその部屋になく、たしかに棚のひとつも置かれていなかった。キッチンが見え、鍋がいくつか並んでいて、しかしそこにも棚は見当たらず、食器がどこから取り出されたのか見落としてしまったが、よく使いこまれた皿やボウルが次々とテーブルに現れた。

そのあいだ僕はテーブルの向こうのガラス戸ごしに庭の様子を眺めていた。庭は一見、雑草が伸び放題になっているようだったが、それがまた適当な長さで不思議と見飽きない。物干しがひとつあり、ごくふつうの白いタオルが一枚干してあった。陽を浴びて、庭にわずかに吹きこむ風に呑気に揺れていた。

「そういえば、あなたのお名前はオーリィ君だったわね。あのとき、あのメガネ君がそう呼んでいたもの。つい呼んでしまう名前よね、オーリィ君って」

「はぁ」

食卓のまわりには、玉ねぎとバターの香りだけではなく、何かもっと複雑な、くだものや肉や香辛料の食欲を刺激する匂いが、あおいさんが動くたびに折り重なって流れ込んできた。

「昔、観たフランス映画に、オーリィという名前の美男子が出てきたのを覚えてるけど、映画自体は本当にひどかった。あれ、なんていうタイトルだったかしら」

匂いが縞模様になってテーブルの上に積み重なっていった。

「何本か観たから、ごっちゃになってしまって。どれもオーリィ君は脇役だったと思うけど、本当に演技が下手で」

「はぁ」

匂いだけではなく、白い皿にフランスパンが載り、チーズやサラダやハムが盛り付けられ、そのどれもが瑞々しくて、チーズでさえ「とれたて」と言いたくなった。

「さぁどうぞ、適当に食べて」

ワインが注がれたグラスが手もとにあり、庭からの光がグラスごしに射して、傷だらけのテーブルを赤くぼやかしていた。あおいさんは自分が手にしていたグラスにもワインを注ぐと――そのときちょっとこぼした――それから僕のグラスに無造作に当てて、飲みながらキッチンに戻り、飲みながら大きな鍋の前に立ち、飲みながら鍋の中をジロリと睨んだ。

「ふたつ、つくってみたんですけど」

言うとおり、ぐつぐつ音をたてる鍋がコンロにふたつ並んでいた。

「ひとつは、えんどう豆で、ひとつは、かぼちゃ」

やがて、そのふたつのスープが食卓の上に緑と黄色の鮮やかな色を添え、もうその色だけで僕のスープは負けていて、香りはもちろんのこと、湯気さえもがどこか違っていた。

「どうぞ、召しあがれ」

すすめられるまま器にスプーンを差し入れると、スプーンから伝わってくる手応えが違っていた。口の中に入れる前に、そのざらりとした感触と、それにつづく滑らかさが手から伝わってきて、手がおいしさを知り、その次に舌や喉が声をあげた。

「うわぁ」——それしか言えなかった。

本当においしいときは、「おいしい」などと味わうより早く反射的に野性の声しか出ない。「おお」だの「うーん」だのと緑色をすくっては呻き、黄色をすくっては、「おお」と「うーん」を繰り返した。

「そうそう、たしかそんな感じだったわ。映画の中のオーリィ君もろくにセリフが言えなくてね、大げさに目を丸くしたり、肩をすくめては『おお』なんて言ったりして」

「でも、二枚目なんですよね？」

僕はそこでようやくセリフらしいセリフを言うことができた。スープの味もようやく脳まで届いて、あらためておいしさが、しみじみ体に染みていった。

「そうなの、すごく二枚目で」

あおいさんもスプーンを口に運び、「上出来上出来」と自分で手を叩いた。

「どうして、こんなにおいしいんでしょう？」

「そんなの簡単なことですよ」

あおいさんは、なんだか妙に嬉しそうだった。

「若くて二枚目の男性にごちそうしようと思ったら、どうしたっておいしくなるはずでしょう？　ただそれだけのことです」

「はぁ」

「あのね、オーリィ君」――あおいさんの眉が少しつり上がったように見えた。

「おいしいものをつくる人は世の中に沢山いるし、それはそれはみんな一所懸命につくっているはずですけど、一所懸命だけじゃまだ足りないの」

「そうなんですか」

「そうなのよ。一所懸命と思っている人は、たいてい自分のために懸命なだけで、そうじゃなくて、恋人のためにつくるようにつくればいいの。わたしはそうするの。そうすると、一所懸命の他にもうひとつ大切なものが加わるでしょう?」

「ああ……」

つまり、それはもしかしてもしかすると、あおいさんは恋とか愛のことを言っているのだろうか。

「なんてね、嘘よ」

「え?」

「嘘、嘘。そんなこと考えてのぼせあがっていたら、ちっともおいしいものなんかできやしないもの」

「そうなんですか」

「そうなの」

いったい、あおいさんは僕をからかっているのか——いや、もちろんからかっているに決まっている。でもその割に真剣な目つきで「嘘よ」と言ったりするものだから、どうにもややっこしくて困ってしまう。マダムならこういうときはきっと涼しい目になるのに。

やはり、あおいさんは今でも変わらず根が女優のままで、ただ、そうなってくると「嘘よ」が本当に「嘘」なのかどうかわからなくなる。

「あのね、恋人なんてものは、いざというとき、ぜんぜん役に立たないことがあるの。これは本当に。でも、おいしいスープのつくり方を知っていると、どんなときでも同じようにおいしかった。これがわたしの見つけた本当の本当のこと。だから、何よりレシピに忠実につくることが大切なんです」

そうして、あおいさんは真剣な目つきのまま「秘密だけど」とつぶやき、「誰かに伝えておかないと、わたしもいつまで元気でいられるかわからないから」

そう言うと、キッチンに立つとき必ず読みあげるという小ぶりのノート・ブックを開き、僕はそこに書きとめられたレシピを、「一言一句もらさず」と、あおいさんの言うとおりに書き写していった。

「今日は、連続ドラマの第一回目みたいなものです。まだまだレパートリーは沢山あるんですから」

あおいさんはそう言いながら温めなおしたスープを口に運び、「あら」と手をとめると「こっちのスープはちょっと塩がきついかしら」

僕にはまったくそんなふうに感じられなかった。

が、失敗したことが恥ずかしかったのか、それとも単に悔しかったのか、あおいさんは顔をほてらせ、しきりにハンカチで額の汗をぬぐいつづけた。

「おかしいわねぇ」

庭の物干しでタオルが揺れている。

＊

覚えているのはそれだけだ。スープのつくり方だけは正確に書き写してきたから、間違いなく記憶に留められている——と思うけど。

あおいさんの家からの帰り道、急に自信がなくなって書き写したものを確かめた。

秘密、秘密。

いつもの映画館の帰り道なら、十五秒ほどのあおいさんの登場シーンを何度も頭の中で再生するのに、十五秒を何百回も重ねたあとでは、夢から覚めたばかりのように記憶の収拾がつかない。

夢?

まさか——と、足もとのスニーカーに目を落としたが、夢にしては、ちゃんと靴先に土の汚れが残っていた。

背後から射す夕方の陽が、路上に落ちた僕の影をくっきり浮かび上がらせている。

名なしのスープ

まず最初は安藤さん。

ひと口で顔色が変わり、ふむ、とうつむいて口の中で舌を動かしていた。

「これは——」

すみずみまで味を確かめ、試食のときにいつも見せる鋭い目つきをやわらげると、

「すごいね、これは」とうなずいて僕の顔をまじまじと見た。

やった、と胸のうちに声をあげる。

何よりまず、この「すごい」を言わせたかった。いや、それよりも、安藤さんの表情が柔らかくなったことに満足していた。

「それでこのスープ、名前は？」

「いえ、名前はまだないんです」

レシピを書きとめたあおいさんのノートには、つくり方は細かく書いてあるのに、名前を持たないスープがいくつも並んでいた。

「必要ないもの」とあおいさんは言っていた。「名前をつけるなんて面倒だし、これは自分だけのものだったから」——そこで少し声に力がなくなった。おや、と思ったが、あおいさんは「そういえばね」とすぐに話を変えてしまった。

最初の訪問こそ、うわの空になって何が何だかよくわからなかったが、そのあと二度伺って、僕も少しずつ冷静に話ができるようになった。

「自分だけのもの？」

「そう。自分のため、と言ったらいいのかしら。あのね、スープをつくり始めたのはそれほど昔のことではないんです。この家から家族がひとりひとりいなくなって、とうとう私だけになったとき——」

そこでまた声が細くなった。

もちろん僕は、そんな話を安藤さんに打ち明けたりしない。なにしろ、あおいさんからスープを習ったことさえ秘密だったのだから。

「これはいいよ、すごくいい」

安藤さんはボウルの底に残ったわずかなスープをスプーンですくいあげ、

「いい名前をつけて、店に出そう」

いつもの鋭い目つきに戻っていた。

＊

さて、安藤さんの次はマダム。

「あら、またつくったの？」

マダムはそろそろ飽きてきたようだったが、それはそうかもしれなかった。もしかして、マダムは僕が試作を重ねてきたスープをひととおり味わってきたのではないだろうか。

「いいの、いいの、光栄なことよ。わたしの舌がメニューを決めるなんて」

とはいうものの、これまでにマダムが「あら」などと声をあげたことはなかった。にもかかわらず、口に運んだ次の瞬間にはもう「あら」が出て、つづいて「ん？」と少し考え、それから、ゆっくり目を閉じると、

「おいしい」

深く息を吐くようにしみじみと言った。

やはりマダムも顔がだらしなくなり、いつものキリッとした眉が下がって、目尻のしわが増えて申しわけないくらいだ。

「ちょっと、これ、いいじゃない」

それがマダムの最高の褒め言葉だった。

「これはいけるわよ。すごいわ、オーリィ君。こういうのどう言ったかしら……瓢箪《ひょうたん》から駒だっけ。でなきゃ、下手な鉄砲も数撃ちゃ当たる?」

あんまり褒められると、そのうち僕もうしろめたくなって——というか、褒められているのかどうかもよくわからなかったが、いずれにしても複雑な心境には違いなかった。たしかに僕がつくったスープではあるけれど、僕が考案したものではないし、レシピどおりつくれば、僕がつくらなくても、きっとマダムは「あら」と声をあげただろう。

いや、「あら」だけではない。マダムは温泉にでもつかったように、のびのびとして、

「これ、なんていうか、お母さんの味よね。なんだか思い出しちゃった」

「お母さんをですか？」

「義理のね。わたしの母親は典型的な下町のおっかさんだったから、スープなんてものをつくってくれたためしがなかったけど、結婚してからは――」

そこでマダムは言葉がふらふらして語尾が怪しくなった。

「結婚されてたんですね」

「もう思い出せないくらい昔のこと」

語尾は頼りないものの、マダムはスプーンを離さない。

「憧れてたのよ、わたし。そのお義母さんに。外国で暮らしてた人でね、その頃はちょっとめずらしかった。それでいて、まったく嫌みなところがなくて、本当にさっぱりした人でね」

「そのお義母さんがスープを？」

「そうそう、わたしも真似して何度かつくってみたけど――ほら、そういえば、前にオーリィ君が風邪をひいて寝込んだとき。あのときにつくったスープがあったでしょう？　あれがそうなんだけど、やっぱりどうもうまくいかなくて」

そんなことはなかった。あのときのスープは本当においしくて、ちょっと大げさに言うなら生き返る心地がした。

「不思議だけどね、自分でそうして真似したものより、このオーリィ君のスープの方が、ずっとお義母さんのスープを思い出す」

そういえば、何がどうということではないけれど、あおいさんのレシピに従ってつくったスープは、あのときのマダムのスープにどこかしら似て、おそらく素材もつくり方も違うはずなのに、どちらのスープも口にしたとたん、体の芯でこわばっていたものが丸くなる感じがあった。

「スープだけじゃなくて、なんでも真似してたの。着るものや、食器の選び方とか手紙の書き方まで。いま思うと、ああいう人が身近にいたことがわたしの一番の財産だった」

いつにも増してマダムは饒舌になっていた。

「いまでも自分の中に生きていると感じることがあるの。おかしいでしょう？　血もつながってないのに。お義母さんの真似ばかりしてたら、自分の中に生き残っちゃったみたい。話し方とか、ちょっとした身のこなしとか、自分で言うのも変だけど、ふとしたとき、あ、いま、お義母さんになってると思う」

そこまで聞いて、僕はひとつ気になったことがあった。

「血のつながったお母さんの方はどうなんです？」

「そう、それもやっぱり同じでね、歳とればとるほど感じるけど、わたしは三人姉妹の末っ子で、母にいちばん似ていなくて、ホントにまるで似てないと思ってきたのに、いまごろになって母に似てきた気がする。ひとりごとが出たときとか、鏡に映った一瞬とか。そっくりなのよ、まったくイヤになるくらい」

＊

そして、もうひとり。

僕の実験作をつぎつぎ試食し、あからさまに迷惑そうな顔をしてきた少年——言うまでもなくリツ君である。

彼のこれまでの感想を並べてみると、

「まずくはないですね」「中くらいのおいしさでしょうか」「まぁ、いいかな」「ちょっとだけ、おいしい」「ダメですね、これは」「これはもういりません」――などなど。

それが今回はリツ君も「おお」が出て、それから「わお」が出て、さすがに親子だけあって「すごい」と言ったあと、

「このスープの名前はなんていうんですか」

お父さんとまったく同じことを訊いてきた。

「名前はまだないから、これからつける予定」

「これはすごくおいしいです。なんて言ったらいいのかなぁ」

どうしてなのか、まだ僕が何も訊いていないのに、皆、自分からすすんで感想を言おうとしていた。いつもは僕が根掘り葉掘り訊いて、ようやく答えが返ってくるのに、スプーンを口にするたび、「おいしい」やら「うまい」やらがおつりのように返ってくる。

おいしいとは、たぶんそういうことなのだろう。

最初はしどろもどろになってしまったが、僕もあおいさんの家で二度、三度とごちそうになるたび、自然と言葉が出てきて止まらなくなった。

本当においしいものは言葉を探す必要もなく、喉を通過したときにはもう感嘆の声が出て、そして胃におさまるころには、花がひらくみたいに言葉が湧き起こってくる。

「これは、おふくろの味ですね」

急にリツ君がそんなことを言い出した。

「ぼくはよくわかりませんけど、よくそう言うでしょう？　たぶんこれがそうじゃないかなぁ。直観でそう感じる」

また、親子で同じことを言っていると思ったが、よくよく思い返してみたら、「母親の味」と言ったのは安藤さんではなくマダムの方だった。

となると、「母親の味」という感想は何かもっと普遍的なものに通じていて、実際に母親につくってもらったことだけを意味するのではないのかもしれなかった。

でも、やっぱり僕は気になり――それはいい機会でもあったし――リツ君にお母さんの話を訊いてみようかと迷っていたら、リツ君の方から「ぼくの母は」と意外なくらいすんなり話し始めた。

「もういませんけど――あ、いないっていうのは、うちの親父が子供のころのぼくに言ったんです」

神妙になって聞き始めた僕は、そこでつい笑いそうになってしまった。どこからどう見てもまだ子供のリッ君が「子供のころのぼく」と大まじめな顔をしている。

彼はもうひと口スープを飲むと、「子供だましですよ」と少し早口になった。

「ぼくが、どこに行ったのって訊いたら、教会に行ったって。母さんは教会に行って、そこで働くようになったから、当分のあいだ帰ってこないって、あの親父、そう言ったんです」

リッ君は話しながらこちらを見ようとしなかった。

「いつもぼうっとして、ママが――じゃなくて母が入院してから、あんまりよく覚えてなくて」

「それで、お父さんがそう言ったんだ」

「ぼうっとしていたから、そういうことになったのかなぁと思ったんですけど、でも、なんとなくわかってました」

「それで――」と僕は言葉を選びながらリッ君の様子を見たが、いつもと変わらず彼は「ぼうっと」などしていなくて、むしろ少年にしては思慮深い顔をし過ぎているのが、どちらかといえば気になるくらいだった。

「それで、リツ君のお母さんはスープをつくってくれたことがあった？」

リツ君はそこで少し考え、

「ぼうっとしてたから、あんまり覚えてないんですけど」

そう言って、またいかにもおいしそうにスープをひと口飲み、これまでに見たことのないような思慮深い顔になった。

＊

僕は母ではなく父の記憶が希薄で——というより、姉たちや母が述懐する父が生々しく、現実に接した父の声や姿は、時間が経つにつれしだいに遠のいてゆくように思える。はっきり焼きついているのは、食卓で新聞を読んでいる姿だった。狭い家なのに食卓だけが広い家で、いまはその食卓で母と姉がふたりきりで食事をしている。

あの大きな食卓で、子供のころにスープを飲んだことがあっただろうか。

スープではなく、シチューならよく覚えているけれど。

そういえば、ついこのあいだもそのことを思い出し、ぼんやりした記憶に色や匂いがしっかりと戻ってきた。あれはたしか――。

あれはたしか、あおいさんが映画館でスープを取り出したとき、その香りにつられて呼び覚まされた記憶だった。


――名前を決めたいから、と安藤さんが言うので、その日、店が終わったあとの調理場で、もういちど「名なしのスープ」をつくることになった。

「これは何からつくってるんだろうか」

安藤さんは鍋を覗いて、しきりに首をかしげていた。

「このあいだもそう思って、訊くのは悔しいから当ててみたかったんだけど。どうにもむずかしいね」

その安藤さんの疑問を、マダムもリツ君も同じように問いかけてきた。僕も最初はわからなかったし、なにしろ名前がないので見当もつかない。おいしいことは間違いなかったが、それはいくつもの食材がひとつになった旨みで、舌で主役を探り当てるのは難しく、ひと口めとふた口めではもう答えが変わってしまうのだ。

マダムは「おいしい鶏のだしがきいてるけれど、海老の味もするし」と言い、リッ君は「じゃがいもの味かなぁ。少し甘くて、少ししょっぱい」とむずかしい顔をした。

「なんだと思います？」と安藤さんに訊くと、

「くだものかな？　桃とか」

まだ完成していない鍋からひと口だけ味見して、それでも首をひねって悔しそうにしていた。

三人の推理はどれも正解ではないけれど、どれもが正解ともいえた。三人が挙げた食材はいずれも使われていて、しかし、どれもが主役ではなかった。

「じつは、これは主役のいないスープなの」

あおいさんが、ふふふと意味ありげに笑ってそう教えてくれた。

「なあんだって思うでしょ。でも、わたしはこれこそスープだと言いたいの。わたしのノートにある名前のないスープは、どれも主役のいないスープだから」

つまりはそれが答えなのだが、僕もまた、ふふふと笑って、安藤さんの問いには答えずにいた。すると安藤さんは「じゃがいもの味かな」とリツ君そっくりの口調になった。

「そういえば」——鍋の中を確かめながら僕はまた言葉を選び——「リツ君が言ってたんですけど」——さりげなくそんなふうに切り出してみた。

「リツが？」

「お母さんの話です」

「リツが？」と安藤さんは繰り返して、それから少し間をおいて「リツがねぇ」と感心したようにまた繰り返した。

「めずらしいですか」

「そう、母親のことは私も話さないし、あいつも何も言わないし。なにしろ相当ショックだったみたいで」

「ほとんど覚えてないと言ってました」

「いや、何も覚えてないんだよ、あいつは。覚えてるはずなんだけど。葬儀が終わってしばらくして、どうして母親がいないのかと何度も同じことを訊かれて、本当に困ったよ、あのときは」

「リツ君は、葬儀に出なかったんですか」

「いや、棺に花を入れたのはリツだったし。でも、それもはっきり覚えてないようで。もっとも、私も忘れてしまったことは沢山あるし」

なんだか頭が混乱してきて収拾がつかなくなった。

ただ、これまでにリツ君から聞いた言葉を反芻してみると、「知らんぷり」と「嘘」は違うのかと言ったときの彼の顔がやはり浮かんできた。その問いはいかにも少年らしいものだったけれど、そのときの彼の顔には、すでに答えを知っているのに、質問そのものを掘り下げようとする大人びた印象があった。

「リツ君が言うには、母親がスープをつくってくれたことがあって、僕のつくったスープがそのときのスープに似ているらしいんです」

そこで安藤さんは、ふっと息を吐き、

「それは母親じゃなく、私がつくったスープのことだろうね」

隠しようもなく色を失った表情になった。

「そうなんですか」

「私もまだ料理に慣れてなくて、スープをひと鍋つくっておいて、それを毎日、朝昼晩と食べていたから——それに彼女はスープが得意ではなかったし」

「ということは」

「たぶん、母親を恋しいと思う気持ちがスープの味と重なってるんだろう。じつをいうと、私もこのあいだ試食をしたとき、あのときのスープを思い出していた」

「どんなスープだったんです？」

「どんなも何も、ただ、いろんなものを大きな鍋に放り込んだだけで」

「名前は」

「そんなものないよ。ただのスープ。何度も味見して、精一杯おいしくなるようつくったけど」

そう、それですよ、同じです——と僕は声に出さないよう胸に念じていた。それが、あおいさんのノートに書いてあった、このスープをつくるときのコツで、他にコツらしいコツもなく、レシピの最後の行にはひとこと、

——とにかく、おいしい！

そう書き添えてあった。

＊

それで結局、名前はまだ決まらなかったものの、二度、三度つくっても同じ味のまま安定していたので、それを販売用の器に盛り、いよいよ商品らしくなったものを、あおいさんの家に届けることになった。

最後に本当のシェフに味見をしていただき、ついでに、あおいさんに名前を決めてもらおう——そう考えていた。

何よりこれは、あおいさんのスープで、だからこそ口にした誰もが驚き、そればかりでなく、それぞれの記憶に何かが届いて、何かが立ち上がり、記憶の中にいる人たちまでもが「おいしい」と笑みを浮かべている——そんな錯覚があった。

「いや、本当なんですよ」

僕はあおいさんに報告せずにいられなかった。

「みんな、おしゃべりになって、しばらく忘れていたようなことを口にして——きっと、スープの味が音楽みたいに響いたんです」

「名なしのスープなのにねぇ」

あおいさんは、わざと驚いたような素振りをみせたが、たぶんこのスープにそんな不思議な効用があることを誰より知っていたに違いない。

ノートを開いてレシピを教えてくれたとき、「この家でひとりになって、はじめてつくったスープなのよ」と、秘密を打ち明けるときの声色で話してくれたのを思い出した。というか、これは本当に秘密のスープで、いつまでも元気なあおいさんを支えてきたのは、きっとこの〈名なしのスープ〉なのだ。

「じゃあ、さっそく」

あおいさんはスプーンを手にする前から顔がほころんでいた。

「自分のスープをごちそうになるなんて、なんだかおかしな気分ねぇ」

そう言って、マダムと同じように目尻にいっぱいしわを集めた。

「どうぞ」

「では、いただきます」

温めなおし、念のため、あおいさんのキッチンで味を確かめてみたが、安藤さんとマダムとリツ君に味見をしてもらったものと、まったく同じ味に仕上がっていた。

ところが、あおいさんは口にするなり、

「わたしの味と違うのね」

どきりとするようなことを、まるで映画のセリフのようにさらりと口ずさんだ。

「だめでしたか」

「そうじゃないの。あのね、これはもう、あなたのスープなのよ。あなたの――というより、あなたたちの」

アンテナ

それにしても、テレビがよく映らなかった。

いまに始まったことではないけれど、このごろ特に映りが悪くなっていた。

理由は明白で、すべてはうちのテレビ受信機が古いから――ただ、それだけのことだった。受信機という言い方からして古くさいかもしれないが、最近のテレビがディスプレイなどと呼ばれているのは、そう呼ばれるにふさわしい見てくれをしているからで、それで言うなら、うちのテレビの見てくれはどう見ても「受信機」がふさわしかった。

まずもって小さい。タテ、ヨコ、奥行き、それぞれが二十センチほどの立方体で、台所テーブルの隅に載るのを見込んで、「かわいいのよ、これ」と母が衝動買いしてきたものだった。

といっても、それも二十年ほど前の話。

台所テーブルというのは実家のそれで、朝夕の食事どきにテレビをつけっ放しにしていると、「おい、食事のときくらい」と父にしかられたものだ。

その父が食卓の一員から消えてしまったころからテレビの映りは悪くなり、室内用のアンテナをあちらに向けたりこちらに向けたりして、挙句の果てには皆でテレビの横っ面――とは言わないだろうけど――をやたらにポンポン叩き始めた。

「かわいい」と、もてはやされた食卓の人気者だったのに、少しばかり映りが悪くなったら、とたんに邪険にされ、「なによ、このテレビ」「ボロテレビ、しっかりしろ」などと罵られ、冗談ではなくテーブルの隅で肩身を狭くして小さくなっていた。

最初のうちは、機械とはいえ叩くのはかわいそうな気がしたが、叩くとテレビも調子が出るらしく、気絶した人を目覚めさせる要領で、おまじないとして軽く叩いていた。が、それがしだいに「軽く」では済まなくなり、上の姉などは父の仇でもとるように日ごろの鬱憤《うっぷん》をテレビにぶつけていた。

――これ、持ってくよ。

実家を出て、ひとり暮らしを始めるとき、食卓の隅で満身創痍となったちびテレビを救い出そうと、ふと思い立った。

――よしなさいよ、あんた。新しいの買ったらいいじゃない。

――どうせすぐオダブツになるだけよ。

姉たちにさんざんたしなめられたが、たぶんこの調子でゆくと、哀れなちびテレビは息絶えるまで彼女たちにムチ打たれつづける。

――いや、僕が見届けるよ。

それなりに親しんできた食卓の友を見捨てられなくて、なかば強引に奪い取ってきた――いや、救出してきたのだった。

とはいうものの、実家の食卓から僕の台所テーブルに移動したところで、何ら奇跡など起きるはずもなく、いぜんとしてテレビの映りは相変わらず悪いままだった。

それで「おいおい」とか「頼むよ」などと言いながら、ついつい僕も叩いていた。

一応、遠慮がちに。

が、リツ君にはそんな遠慮など、まるでなかった。

「だめですね、このテレビは」

そう言って、迷うことなくポンポン叩いた。思わず「叩いたって直らないよ」と注意したが、もちろんリッ君はそんなことでひるんだりしない。

「だって、オーリィさんも叩いてるじゃないですか」

「そうだっけ?」

「そうですよ。それに、叩くとちゃんと直るんです」

「まぁ、たしかにそうなんだけど、でも、それって何故だかわかる?」

「それは、アンテナの線が」

「アンテナ?」

「叩くとつながるんじゃないですか?」

「アンテナがねぇ」

「あの」とリッ君はテレビから突き出た銀色のアンテナに触れ、「アンテナっていうのは何のためにあるんですか?」と、じつに素朴な疑問を投げかけてきた。

「それはね――」

「この細長いものが、テレビの絵とか音とかを集めてるんですか?」

「そうねぇ。まぁ、言ってみればそういうことなんだけど、集める、っていうか、つなげるっていうか」

「でしょ？　やっぱり、つながらないと映らないんですよね」

なんだかリツ君と話しているうちにテレビが奇妙で得体の知れないものに見えてきた。毎日、目にして、しかも食卓などに載っているものだから、特別、気にもとめずにいたけれど、あらためて考えてみると相当に不思議なことをする機械かもしれない。難なく映っている分には気づかないものの、映りが悪くなると「つながる」とか「つながらない」ということがミステリアスな問題になってくる。

「電話もそうですよね」

リツ君がいかにも冷静にそう言ったのに、僕は彼の弟にでもなった気分で素直に「おお」と声が出た。

「電話も、つながるから声が聞こえるんですよね」

そうそう、そのとおり。いや、電話はテレビよりさらに優秀かもしれない。

「テレビは受信専門だけど、電話は送信もできるから」

「送信っていうのは、つまり、こういうアンテナを使って、こっちから向こうへ伝えてるんですよね」

「うん、そう……かな？　電話の場合は電線だけど」

そう言いながら、リツ君とふたりでアパートの窓から顔を突き出し、目の高さよりも少し下にある電線をまじまじと眺めてみた。

「あれだよ、あれ。あれを伝って声が向こうに伝わるわけだ」

「あれを伝って」

そう言うリツ君の横顔をそれとなく見ると、彼は電線を見おろすのではなく、顔をわずかに上げてじっと動かず押し黙っていた。視線の先をたどってみると、おなじみの教会の十字架があり、たったいま自分が口にした言葉がそこに重なって、またしても妙な心持ちになってきた。

——あれを伝って声が向こうに。

なるほどたしかに、あれもアンテナの一種かもしれない。

十字架の場合は、声というより祈りというべきだろうけど。

＊

その何日かあと、〈トロワ〉に出勤すると、「ああ、おはよう」と会釈した安藤さんの様子に、どうもいつもの落ち着きが感じられなかった。「しかしなぁ」とか「まいったなぁ」と繰り返しぶつぶつ言い、「まいったなぁ」と言いながらも見た目には全然まいっていない。どちらかというとニヤニヤして、少しばかり気味が悪かった。

「何かあったんですか」と訊いてみたら、

「いや、まぁ、なんというか、まいっちゃって」

ニヤニヤがさらに深く刻まれ、ほとんど顔中にニヤニヤが広がりつつあった。

「当たっちゃってさ」

「当たっちゃった？」

「いや、あの福引きがね。商店街のさ。文房具屋でノートを買ったら福引券をくれて」

「福引きって、あのガラガラッとやるやつですか」

「そう、あのガラガラッとやるやつ。あれをガラガラッとやったら赤い玉が転がり出てきて、それがなんと特賞で」

安藤さんは必死にニヤニヤを抑え込もうとするあまり、なんともいえない泣き笑いの表情になっていた。そのうえ、僕が何も訊いていないのに、そのおかしな顔のまま、

「それがテレビでさ」

わざとぶっきらぼうにそう言って、思いなおしてサンドイッチの仕込みにとりかかろうとするものの、とりかかろうとするだけで、全然とりかかれない。

「まいったね」

最初に戻ってしまった。

「いや、でかいんだよ、それが。そのテレビ。階段でつかえちゃって」

「階段？　てことは、もう」

僕が二階を指さして訊くと、

「そう、そう」

「あるんですか」

「あるんだよ」

「もう届いているんですか」

「もう届いてるんだ」

それで、さっそく見せてもらうことになった――というより無理矢理見せられたのだが。

「ほら、これ」

という その一言に、「大きいだろ?」「すごいだろ?」「当てちゃったんだよ」「いや、まいったなぁ」と、いくつもの声が積み重なっていた。

当のテレビは、二階の六畳間にどしりと居座り、たしかに大きくて、すごくて、当たっちゃったんだなぁ、という感じを堂々と漂わせていた。他人事とはいえ、なぜか僕まで「まいったなぁ」と言いたくなる。

「ね?」と安藤さんは子供じみた口調になり、また「まいったろう?」を繰り返すと、困ったようなおかしな笑顔のままどうにもならなかった。

「たしかにこれは、ちょっとまいりましたね」

「そうなんだよ」

「どうしてでしょう?」

「いや、世の中には『運の尽き』というものがあってさ、こんなに大きいのを当てちゃったら、この先はもうハズレっぱなしになるわけで——いや、きっとそうだよ。そういうもんなんだ」

「そういうもんですか」

「そうだよ。人ひとりに与えられる幸運は限られているんだから」

安藤さんの説によると——、

「幸運」というのは気づかぬうちに皆に等しく配給されていて、普通はそれを「幸運」と気づかぬまま、ちびちび使ってしまう。それが正しい「幸運」の使い方で、それをうっかり使いすぎると、バランスが崩れて日々の「幸運」に強弱のムラができてしまう。

たとえば、誰かと待ち合わせをして急いでいるとき、待ち合わせ場所に向かう電車が駅で待つまでもなくすぐにやって来た。これはちょっとした「幸運」ではあるけれど、自分がそこで「ちょっとした幸運」を自覚した分、必ずあとになって「ちょっとした不運」に見舞われることになる。たとえば、待ち合わせ場所に早く到着し過ぎて、そのうえ相手が二十分も遅刻するとか。

しかし、それはあくまで「ちょっとした」ことで、気にならない人はバランスの乱れに気づくこともない。

ところが、こんなふうに――つまりこんなに大きくてすごいテレビが部屋にどしりとやって来たりすると、「幸運」がこれ見よがしに毎日そこにあって、当然のごとくバランスが崩れて、あとは「不運」のローンを背負うばかりになる。

「自然の法則だよ」

そう言って、安藤さんはいつもの苦い顔をつくろうとしたが、横目でちらりとテレビを見るたび、泣き笑いの表情に引き戻された。よほど嬉しいのだろう。そして、よほど不安なのだろう。

「このテレビが当たったばかりに、店の方がうまくいかなくなるとかさ」

話を聞くうち、僕は僕で安藤さんとはまた別の泣き笑いになりつつあった。なにしろ僕は、これまでの人生の大半をあの小さなテレビで耐え忍んできたのだから。

いや、たいしてテレビは見ないので「耐え忍んだ」は大げさかもしれない。でも、あの天下一品の映りの悪さを、誰も「幸運」とは思わないだろう。といって「不運」と決めつけるのも行き過ぎかもしれず、あれはおそらく安藤さんの言うところの「ちょっとした不運」に違いない。

となると、僕はその「ちょっとした不運」を毎日こつこつローンのように支払っているわけで、ということは、いずれ僕にも、どしんと大きな「まいったなぁ」が訪れるのかもしれないし、それとも気づかぬうちに「ちょっとした幸運」を、日々、ゆるやかに味わっているのかもしれない。

「それにしてもさ」

安藤さんはまたそう言って、大きな「幸運」の隣で、なぜか正座をしながら困惑しつづけていた。

＊

「えっ」と目を輝かせるか。

それとも「ふうん」といつもの冷静さを保って動じないか。

リツ君の反応ははたしてどちらだろうかと予測してみたが、

「えっ」――そう言ってから――「ふうん」。

仕事から帰ったばかりの夕方おそくで、テレビはついていなかったものの、たしかその時間にリツ君のお気に入りの番組があって、いつもならかじりついて――そしてテレビを叩きながら――観ているはずだった。

「ふうん」

リツ君はもういちどそう言って食卓から離れると、すっと窓辺に行き、自分の頭ひとつ分が突き出せるだけ細く窓をあけると、そこからしばらく外の様子をじっとうかがっていた。まるで何かの儀式のように、そうしてリツ君はときどきこちらに背を向けることがあった。それがアンテナと――つまりこれは教会のアンテナということだけれど――に関係しているのかどうか僕にはわからない。

次の日の朝も、学校に行く前のわずかな時間に、リツ君は同じように窓から外を眺めて固まったように動かなかった。細く開いた窓の向こうに、リツ君の背中に隠された十字架のタテ棒が半分だけ見える。

とそのとき、「ん?」と、リツ君の声がかすかに聞こえ、次の瞬間、「うわぁ」と言いながら姿勢を低くし、タテ棒の上から下までがそっくり丸見えになった。

リツ君は何のつもりか開いた窓から身を隠すようにしていたのだが、またソロリソロリと顔だけ突き出すと、片手で少しずつ窓を開けながら、十字架ではなく、どうやら窓の下を見おろしているようだった。窓が開かれてゆくにしたがい、十字架の横棒が少しずつ見えてくる。

ん？　と僕も窓辺に近づき、リツ君の肩に手を置いて表の通りを見おろすと、

「あ？　あれ、お父さんじゃない？」

「何しに来たんでしょうか、あの親父」

「いや、うちにじゃなくて、教会に来たんじゃないかな」

前に安藤さんが牧師さんと話し込んでいたときのことを思い出した。

「何の用事があるんですか、教会に」

「そうねぇ」

話しているあいだに安藤さんが教会に入ってゆくのが見え、リツ君は「あ、ホントだ」と言って、それからしばらく何も言わずにいた。

黙って屋根の上の十字架を見ている。

とそこへ、「おそろいで」と頭の上から声がかかり、一瞬、ビクリとしながら見上げると、「おはよう」と余裕たっぷりのマダムの顔がいつものようにそこにあった。指にはさんだ吸いかけの煙草からゆらめく煙が、朝のすがすがしい空気を乱しつつある。

「いまの、お父さんでしょ」

マダムはリツ君に話しかけていた。

「ときどき、いらっしゃるわね」

「そうなんですか?」とリツ君はどうやら意外らしい。

「あら、知らなかったの」

マダムが自分の爪を眺めながらそう訊いたのに、リツ君は何も答えず、教会の入口のあたりを見おろしたり、十字架なのか空なのか、見上げたふたつの目が、どこかぼんやりしているように見えた。

「お父さんも、いろいろ相談したいのよ、きっと」

「牧師さんにですか」と黙ったままのリツ君のかわりに僕がマダムを見あげた。

「神様にでしょ。でなきゃ——」

そこでマダムは煙草にむせて、もう一方の手に持っていた灰皿でサクサクと煙草をもみ消した。

*

その三日後。

その日は〈トロワ〉の休日で、僕は自分の部屋の台所に食材を並べ、あおいさんの〈名なしのスープ〉の最後の仕上げにとりかかっていた。皆が「おいしい」と言ってくれたことで少し自信はついたものの、自分としてはまだもうひとつ納得がいかなかった。あおいさんのレシピに書いていないスパイスや材料なども加え、何度もつくりなおしてみたが、どうしても何かが足りない。

いつのまにか夕方になっていた。

そのことにも気づかなかったが、玄関の呼び鈴で我に返り、きっとマダムだろうとドアをあけると、そこに立っていたのは宙返りの少年——森田君だった。

「こんにちは。いい匂いがしますね」

森田君は例によって礼儀正しく、小さなショルダーバッグを肩からさげて、姿勢よく玄関先に立っていた。

「あの、リツ君からテレビを見に来るよう誘われたので」

「テレビ？」

「大きなテレビを買ったからって、リツ君がそう言ってました。それでゲームとかやると最高なんだって」

「ああ、なるほどね……ええと、でも、それは」

「あがってもいいですか？」

「うん、もちろん、いいんだけど」

お邪魔します、と森田君は姿勢がいいまま部屋に入ってきて、僕が台所テーブルを片づけて「どうぞ」と椅子をすすめると、「あれ？　リツはどこですか」と、しきりに部屋を見まわし始めた。

「いま、お茶をいれるから」

「ありがとうございます」

頭をさげて彼は静かに椅子に座り、それから台所テーブルのちびテレビを見つけると、「あれ？」とテレビに触れながら小さくつぶやいた。

「いや、うちのテレビはそれだけで、リツ君の言っているのは、たぶん」――僕が急須に茶の葉をいれながら説明しようとすると、賢い森田君はそれですべてを察知してしまったらしい。

「あ、そうなんですか。家出はもうやめたんですね」

「あれ？　森田君は知らなかったんだ」

「いつからですか？」

「つい、おとといの夜だけど」

リツ君は森田君に、オレは家出中なんだぜと、たびたび自慢していたのだろう。だから、家に戻ったことを恥ずかしくて言えないのだ。だいたい、リツ君は僕にだって「お世話になりました」と、ひとこと言っただけだったし。

「この匂いは」と森田君は台所に漂っているスープの香りを鼻先で示し、「おばあちゃん……じゃなくて、祖母の家の匂いと同じです」

そう言って、伸ばした背筋をゆるめて、おだやかな顔つきになった。

「おばあちゃんは元気？」

「あ、それがちょっと体の具合を悪くして」

「え？」

「たいしたことないと言ってましたけど、いまは家で寝てます。昨日、お見舞いに行ってきました」

「そうなんだ」

僕はそのとき、かなり動揺していたのではないかと思う。そのあと、お茶を飲みながら森田君と話したことはよく覚えてなくて、

「じゃあ、〈トロワ〉に行ってみます」

姿勢よく帰って行った森田君を見送ったあとも、とにかく落ち着かなくては――と窓をあけて煙草を一本吸うことにした。

ひとくち吸ったとたん、「体に悪いわよ」とマダムの声が上から聞こえ、「リツ君はどうしたかしらね」と空に向かって煙を吐いてみせた。

「リツ君は、何か言ってましたか？」

「さあ、わたしにはテレビを見たいから帰りますと言ってたけど」

「テレビをねぇ」

「もちろん、そんなのは嘘よ。わかってる？　オーリィ君」

僕は目の前にある夕陽を浴びた十字架を眺め、リッ君ではなくあおいさんのことを考えながら、

「わかってますよ、それくらい」

ぼんやりとそう答えた。

時計

「あら、オーリィ君」

耳にあてがった携帯電話の中から眠たげなあおいさんの声が聞こえてきて、

「いまは、何時？」

僕はここのところ腕時計をしていなかった。少し前にとまったままで、電池を交換してみたものの、それでも動かなかった。

それで、部屋の壁の時計が見える位置まで移動して、

「6時20分です」

そうお答えすると、あおいさんは「朝のですか、夕方のですか？」と少しずつはっきりした声になった。

「夕方です」

「そう。眠ってばかりいると、どちらなのかわからなくなって」

「眠るのはいいことです。眠いときは眠るべきですよ」

僕は時計の秒針を追いながら携帯に向かって話しかけ、それから「あさってなんですけど、店が休みなので、またスープの味見をお願いしたいんです」——そんな矛盾することを頼んでしまった。

「今度の水曜日に、お見舞いがてらうかがいます」

「大げさですよ、お見舞いなんて」

「いえ、とにかく」——と言ったものの、そのあとの言葉がうまく出てこなかった。音もなくなめらかに回る時計の秒針を見ながら、どう言ったものかと僕はしばらく次の言葉を探しあぐねていた。

＊

リツ君が早々に家出を切り上げて帰ってしまってからも、なんとなくそれまでの習慣が残って、僕はマダムの食卓で晩御飯を共にしていた。

結局、三人での食事は数週間つづいたことになるが、いつでも話の中心にいたリッ君がいなくなってしまったら、僕とマダムは通訳を失った異国人同士のように会話がぎこちなくなった。

「何を見てるの、オーリィ君?」

「え? いえいえ」

「わたしの顔に何かついてる?」

「いえいえ、何も」

本当はマダムの顔がいつもとどことなく違って見え、つい、まじまじと眺めてしまったのだが、

「あのね、言っておくけど、わたし、今日はお化粧をしてませんから」

「ああ、なるほど。そういうことでしたか」

「そういうことって、どういうこと? なるほどって?」

「いえいえ」

「いえいえって、そればっかり」

そんな調子で食事を終えると、マダムはすぐに煙草に火をつけ、何かを吹き飛ば

すように無理矢理ニッと笑ってみせた。煙草をはさんだ指が痩せてみえ、そのうえ――これは気のせいではなく――細い手首から腕時計がだらりとぶらさがっていた。

マダムは一体いくつなのだろう。訊きそびれたまま、というか、こわくて訊けないが、こういうときリツ君なら「何歳ですか」と、あっさり訊いてしまうだろう。もっとも、マダムは「二で割った」年齢しか言わないだろうけど。

これはマダムに限ったことではなく、店でお客さんを見ていても、あるいは町ですれ違った見ず知らずの人にしても、どうもこのごろ、年齢の見当がつけられなくなってきた。自分が子供だったときの方が大人たちの年齢がはっきり見えていた。それが今は他人どころか自分の歳までまともに出てこない。誰かに歳を訊かれると、確信をもって去年までの年齢を答えている。

知らないあいだにたくさんの時間が流れてしまった――ような気がする。ときどき、自分が正しい時間の流れから切り離されている――ような気がする。たとえば、何かに没頭して、はたと気づくともう夜中になっていて、まずい寝なきゃ、とあわてて歯を磨きながら眺めた洗面台の鏡に、見たこともないくたびれた自分の顔が映っている。ついでに、数十年後の老いた顔がそこに重なって浮かんでくる。

スープのことばかり考えて暮らすうち、世の中は音もなく秒針を進ませ、歯ブラシをくわえた自分は、いつのまにか洗面台の鏡の奥で歳をとっていた。

「ねぇ、オーリィ君」

不意に目の前のマダムの声がくっきりと聞こえてきた。

「時間が気になるの?」

「いえいえ、時間じゃなくて、その時計が」

どうやら僕はマダムの腕時計に見とれていたらしい。

「これは死んだ亭主のよ。あのひとはずいぶんこれを大事にしてたから。記念にもらっちゃったの。死んで記念っていうのも変だけどね。まぁ、どっちにしてもあっちは」

マダムはちらりと頭の上に目をやった。

「時間もへったくれもないでしょうから」

マダムの細い手首にはゆるいとしても、ひと目では男ものに見えない小ぶりな腕時計だった。

「彼自身が小ぶりなひとだったから。なんでも小ぶりが好きで、小ぶりな帽子をかぶって、小ぶりな鞄を持って、ちまちまと小さな時計のねじなんか巻いちゃって」

「手巻き時計なんですね」

「もちろんよ。昔の時計はみんな手巻きだったのよ。あのね——」

そこでマダムは食卓の上に手を置くと、時計の盤面を見おろしながら、

「ずっと巻いてきたんです、わたしが」

ためこんでいたものを、ひと息で吐くように言った。

「じゃないと、とまっちゃうし。どうしてそうしたのかよく覚えてないけど、彼が死んだ次の日、なんとなくねじを巻いて。で、また次の日も巻いて。気づいたら毎日。ま、どうせわたしはヒマなんだし、花に水をやるようなものだしね。それに、とまったらとまったで全然かまわないし。たまたま忘れず巻いてきたから今もいちおう動いてるだけで」

いかにもマダムは苦そうに煙草を吸った。

「ほんと、やっかいよねぇ」

＊

腕時計は仕事のとき邪魔になる。そもそも昔から好きではないし、いまは時間が知りたくなったら携帯電話を取り出せばそれで事足りる。

〈トロワ〉に出勤する道すがら、マダムの手首の時計が思い浮かび、そういえば、自分がこのあいだまで使っていた腕時計はどうしたろうかと考えていた。引き出しにしまったか。それとも、どこかに置きっぱなしのままか。

考えてみると「このあいだまで」の時計に限らず、その前に使ったいくつかの時計も今はどこにあるのかわからなかった。どれも壊れて動かなくなったはずだが、時計を捨てた記憶というのが思い当たらない。

と、そんなことばかり考えていたせいか、〈トロワ〉に着くなり、まずは安藤さんの腕時計が気になった。

「時計？」

そう言う安藤さんの腕はすっきりして、いかにも当たり前のように時計は巻かれていなかった。

「どうも、時計は」

予測していたとおりの答えだった。だいたい安藤さんは着ている服からして、これといった特徴のないものばかりで、もちろんアクセサリーなどつけないし、ときにはベルトさえ省略して、いまひとつ冴えなかったりするのだ。

「時計は、つい見てしまう時間があるから」

それは予測にない答えだった。

「どういうわけか、いつも3時45分で」

安藤さんは冷蔵庫からバターのかたまりを取り出すと、常温にもどすために調理台の上に置き、それからいつもの朝いちばんの儀式でパン切りナイフを研ぎ始めた。

「女房とは、まぁ、それなりにたくさんの時間を過ごしてきたはずなんだけど」

「ええ」――と訳もわからず僕はそう答えた。

「それなのに、覚えてるのは彼女が息をひきとったその時刻だけ――というか、覚えてるわけじゃないんだけど、なんとなく時計を見ると、決まって3時45分で」

僕はまたマダムの腕時計を思い浮かべていた。

「奥さんは時計をしていましたか?」

「そうだねぇ」と安藤さんはナイフを研ぎながら僕の質問を繰り返し、「うん、そうだね。奥さんは時計をしていました」と妙な答え方をした。

「その時計は、いまどこにあるんです?」

もし、マダムの話を聞いていなかったら、たぶんそんなことは尋ねなかったろう。が、安藤さんは「いや、それが気味悪いはなしで」とナイフを研ぐ手を止め、

「彼女の時計は、何といったっけ、電池を使わないやつ」

「手巻き時計ですね」

「そう。それだったんだけど、どういうわけか、彼女の死んだあとも、とまらずに回っていて」

「え? 回ってるって、今もですか?」

「うーん……そういえば、ここのところ確かめてなかったけど、たぶん回ってるんじゃないかなぁ」

こういうときの安藤さんは信じ難いほど呑気そうに見えた。

「あの、それ、本当に手巻き時計なんですか?」

毎日、巻いていると言ったマダムの声が耳もとに残っている。

「そうそう、ずいぶん古い時計で」

「それは、つまりあれですか、奥さんが亡くなってから、毎日、安藤さんがねじを巻いてきたということですか」

「いや、そうじゃなくて。勝手に回ってるんだよ時計が」

そんなことがあるものだろうか。

「今どこにあるんです？　その時計」

「二階の鏡台の引き出しかな」

そう言うと安藤さんはナイフを調理台に置き、

「いま持ってくるよ」

どこか得意げな顔になって、「本当なんだから」と軽やかに階段をのぼっていった。が、しばらくして下りてきた足どりは軽やかさを通り越してドタバタ乱れていた。

「ないよ、ない」

冗談なのか本気なのか、安藤さんは恐ろしげに目を見張り、

「やっぱり、あの時計は生きてるんだ」

「いや――」

「足が生えて、家を出て行ったんだ」

そこで、ふと思いついたことがあった。

「リツ君はその時計のことを知ってましたか」

「ふうむ……。たぶん知ってたと思うけど」

今度はマダムではなくリツ君の姿が頭に浮かんできた。

いまはもう元に戻ったものの、数週間前に〈トロワ〉から「出て行った」のはリツ君であって、彼はそのとき鏡台の引き出しをあけて「母親の時計」を手にしたに違いない。というか、手にしたのはそのときだけでなく、毎日欠かさず彼がねじを巻いてきたのだ。だから自分が家を出てゆく以上、当然、時計も――。

「どうせ、気づきませんよ、あの親父は」

リツ君の声が聞こえてくる。

「ずっと巻いてきたんです、わたしが」

マダムの声も。

「やっかいよねぇ」

眉間にしわを寄せ、うつむいてねじを巻くリツ君の後ろ姿を、僕はこの目で見たような気がしてきた。

いや、そうだ。彼の後ろ姿なら、毎朝、見ていた。アパートの窓を細くあけ、こちらに背を向けたまま彼は十字架を前にしていた。

毎朝、欠かさず。自分ひとりだけの儀式のように。

*

その日、仕事が終わるとそのまま都心まで出て、デパートの時計売場であたらしい腕時計を買ってみた。どういうわけか「時計売場」というものに行ってみたくなったのだ。それも時計専門店ではなく、ごくありふれたデパートの売場で選びたかった。

そのデパートだけかもしれないが、時計売場は妙に静かで、ショーケースに並べられた時計は――当たり前だが――どれもあたらしく、つい今しがた磨かれたような光沢をもっていた。じっくりと端から端まで見て、もういちど端から端に戻り、結局、下から二番目に安く、そっけなさでは一番という黒革バンドのものを選んだ。文字盤には数字も文字もなく、ただかぼそい三本の針があっちを向いたりこっちを向いたりしていた。

ひさしぶりに、そうして時計を買った。

はたして、これまでにいくつ時計を買い換えただろう。

はたして、この先いったい、いくつ時計を買うのだろう。

時計を買うのもひさしぶりだったが、デパートというのもひさしぶりで、いい匂いに誘われて立ち寄った地下の食品売場で、思いがけずおいしそうな太巻きずしを見つけた。黒々とした海苔がいかにも新鮮で、卵焼きの黄色やきゅうりの緑、海老や椎茸や紫蘇の彩りが海苔の黒に縁どられていた。

マダムへのおみやげにと意外に持ち重りのする一本を手にして、ああ、そういえば、と父のことが思い出された。

正月の集まりに姉たちと母が巻きずしをつくることがあり、「お父さんが生きてたら」というようなことをしきりに言い合っているのが台所から聞こえてきた。

「きっと、ひとりで一本、食べちゃうわよ」

僕自身の記憶でははっきりしないが、たしか父の好物で、思い出しながらデパートから駅までの地下通路を歩くうち、もうひとつおまけのように「そういえば」が転がり出てきた。

そういえば、父の腕時計はどうなったのだろう。

母が持っているのか、それとも姉たちの誰かが形見にもらったか、でなければ、すっかり忘れられて押し入れの奥にでもしまい込まれているのか。

これまで考えたこともなかったが、考えたことがないだけに、どうでもいいと言えばどうでもよかった。「そういえば」と転がり出てきても、そのまま、また忘れてしまうこともあるだろうし、忘れたことに気づかないことも沢山あるはずだ。

仕事を終えて帰る人たちの波にまぎれ、そういえば――と忘れていたことを振り返りながら電車に揺られていたら、いくつか思い出すうちに最初の「そういえば」をもう忘れていた。さて、なんだったか、と車窓の向こうに流れる景色を追ったが、たまたま乗ったのが急行で、景色も記憶もどんどん遠ざかってゆく。

そのうち乗り換え駅に着いて、いつもの路面電車に乗り換えようとホームに立つと、電車はまだ来ていなくて、何気なしに眺めた駅の掲示板に、もうひとつ「そういえば」と言いたくなる〈月舟シネマ〉のポスターが貼り出されていた。

ここのところ、すっかりごぶさたしていた。

三週間、いや、もしかすると一ヵ月くらい行っていない。スープづくりに夢中になるあまり――というよりも、映画の中でしか会えなかった憧れのひとに、今は駅前の夜鳴きそば屋で会えるのだから、わざわざ映画館に通うこともない。

が、ポスターの隅にレイト・ショーの告知があり、そこに『口笛』というタイトルを見つけ出すと、あの律義な青年館主が僕の渡したリストどおりにフィルムを仕入れていることになんだか申しわけなくなった。

レイト・ショーの開映時間を確かめると、急げばまだ間に合う。

出迎えのように路面電車がゆっくりとホームに入ってきた。

*

四度めの『口笛』。

映画のつくりはきわめて単純で、これといった事件も起きないし、舞台も場面も大して代わり映えがしない。今となっては信じられないが、毎週あたらしい映画が封切られていた時代につくられたものだから、上映時間も短く、三度も観ればすべてのシーンが頭に入ってしまう。

だから、あおいさんが登場するわずか15秒間だけに目をこらせばいいのに、どういうわけか、僕はその代わり映えのしない場面の連続から目が離せなくなった。

この映画は、昔のレコード盤でいうところのB面にあたる作品で、あおいさんだけではなく、出演者のほとんどが今に名を残す役者ではない。それもまぁ仕方ないかという平凡な演技のやりとりで、しかし、それが今の目で観ると、どこか現実味を帯び、半世紀前の庶民の生活にいつのまにか自分もまぎれ込んでいた。

もうすっかり忘れていたが、僕はいつか映画の脚本を書きたいと願っていたことがあった。それはもしかすると、この『口笛』のような、ごくふつうの町の人たちを描いたものだったかもしれない。何も起こらず、何も動かず、何も変わらないのに、それでもやはりうつろいゆくものはあって、動かないものとうつろいゆくもののあいだで、無力な町の人たちは、しばしば迷って言葉を失う。

そこに、口笛が聞こえてくる。

もう四度目だが。いや、四度目であろうと必ず登場する。それが映画の素晴らしいところで、15秒間でしかないけれど、あおいさんの扮する野球帽をかぶった少年が、夕方の路地を口笛を吹きつつ横切ってゆく。その澄んだ響きが、言葉を失った町の人たちの耳にしみわたる。

15秒のうちのほんの3秒ほど、右から左に歩いてゆく少年の横顔が、不意にスクリーンを見あげる客席のあおいさんの横顔に変わった。モノクロの映画なのに帽子が緑色に変わり、それからまたすぐに元の野球帽へと戻った。

＊

水曜日。

腕時計を見た。午後4時30分。準備は整っている。

あおいさんの家までは30分くらいだから、5時すぎには到着して、それからゆっくりスープをつくり始める。

リツ君の真似をして窓を細くあけ、隣の十字架を眺めながら時計のねじを巻くふりをしてみたが、残念ながら僕の買った時計は見てくれは昔風であっても、ねじを巻く必要のない電池式である。

それでもつい時計に目がいってしまう。ついでに、つい予定をたててしまう。

午後4時40分にアパートを出て、午後4時47分に駅前の花屋でフリージアを買う。午後4時58分に電車に乗り、午後5時10分に駅に到着。

そこから歩いて5分。午後5時15分にあおいさんの家に着き、玄関でフリージアの花束を渡す——。

と、そんな綿密な計画を練っていたところ、わずかに開いた窓の隙間から見おろした通りに、どうも見覚えのある人影が動いたような気がした。よく見ようとしたが死角に消え、しかし、今のはリツ君じゃないかと耳を澄ませていると、案の定、聞き慣れた声がドアごしに聞こえて同時に呼び鈴が鳴り響いた。

ドアを開けてみると、そこに立っていたのはやはりリツ君で、が、もうひとり、彼の後ろに花束を手にしたあおいさんがいて、まさか、あおいさんが僕のアパートに来るとは思いもよらず、それだけでも充分に驚いたが、「どうぞ」と手渡してくれた花束がフリージアだったのには、つい、頬をつねりたくなった。

「急に来てごめんなさいね。でも、わたしはもうすっかり良くなって、わざわざ、お見舞いに来てもらうのはなんだか気が引けたので。それでリツ君に連れて来ていただいたの」

リツ君はどこか得意げで、それでいて、どことなく居心地が悪そうにあおいさんの話を聞いていた。

「だから、今日はスープの完成のお祝いに来たんです」

あおいさんがそう言うと、リツ君は「じゃあ、僕はこれで」と帰ろうとするので、すかさず僕は彼の肩を押さえ、

「だめだめ、リツ君には手伝ってもらわないと」

とっさにそんなことを思いついた。

「すみません。散らかっていて申しわけないんですけど、どうぞこちらに」

ふたりを台所のテーブルに招くと、リツ君は部屋の中をざっと見渡し、「本当に散らかってますね」と例によって余計なことを言った。が、それでもとにかく僕は、あおいさんとふたりだけになるのがなんとなく恥ずかしかったので、

「リツ君はお茶をいれるのがうまいんだよね」

それはあながち思いつきというだけではなく、彼のいれるおいしいお茶は、家出中の彼がマスターした唯一の成果と言ってよかった。

「しょうがないなぁ、もう」

おだてられたのがまんざらでもない様子で流しの前に立って、彼はお父さんによく似た器用な手つきで薬罐に水をいれ始めた。

「えらいのねぇ」とあおいさんがマダムと同じニヤニヤ顔をしていた。

お湯がわくまでのあいだ、僕はテーブルの上に用意してあった食材を手に取り、スープのつくり方の細かい手順をあおいさんに説明しておいた。僕がつけ加えたのは、わずかな改良で、ほとんど、あおいさんのスープのつくり方と変わっていない。

「あら、オーリィ君、それ、あたらしい時計でしょう？」

説明の途中で、あおいさんが僕の手もとを見ながら不意にそんなことを言った。

「よくわかりましたね」

「もちろんわかりますよ。女のひとは男のひとの手ばかり見ているんですから」

お湯がわいて、リツ君が真剣な面持ちでお茶をいれ始めたが、何をそんなに緊張しているのか、やたらに手を震わせていた。

「ぼくの手を見ないでください。いま大事なところなんですから」

湯をこぼしながら、彼は震えがとまらなかった。

「ごめんね」とあおいさんはリツ君にあやまって、それから僕の手もとに向けた目を細めると、

「その時計は——」

「あ、いえ、残念ですけど、これは手巻きじゃなくて」

僕はつい変なことを口走ってしまった。

「そうですか？　わたしのは手巻きですよ」

あおいさんは青と白のストライプのシャツの袖をまくると、「ほらね」と自分の腕時計を僕とリツ君に見せてくれた。

それは、デパートのショーケースに並んでいたどれとも違う、余計なものがひとつも感じられない質素な時計だった。白い文字盤に赤い小さな数字が並び、長針が銀で短針が黒く、その針も普通より短くてどことなくしゃれていた。

「もう長いこと使っているから何度も壊れて。直しながら、だましだまし。ときど

きねじを巻くのを忘れて、とんでもない時間になっていたり。オーリィ君のは電池だから正確なのでしょうけど、わたしのは、放っておいたら7分も進んでしまうんです。直してもらっても、いつのまにかまた進んで」

あおいさんは自分の時計をじっと見ていた。

「4時52分」

簡潔にそう言って、「どうですか?」と僕の手もとに視線を移した。

あわてて僕は自分の時計を確認し――「ええと、4時45分です」

たしかにそこには7分の差があるようだった。

「ね? わたしの時計は世の中より7分進んでいるんです。わたしひとりだけが先に進んでいるということよね」

「いえいえ」

どうやら僕はそれが口ぐせになってしまったらしい。

「7分なんてどうってことないです。僕はもっと――」

「どうぞ」――とリツ君がそろそろと湯呑みをひとつずつテーブルに置いてゆくと、「おまちどおさま」「ありがとう」「ごくろうさま」と三人の声がテーブルの上で重なり合い、あおいさんは湯呑みを手にしながら僕の方を見ていた。

「もっと……何ですか？」

　僕が言いかけたことが気になっているようだった。

「いえ、その、もっと遠いというか」

　僕はどうしてもうまく口がまわらなかった。

「もっと遠く離れた——というか」

「あ、そうですよね。オーリィさんは遠く離れた彼女と遠距離恋愛をしてるんですよね」とリッ君がまたしても余計なことを口走った。

「おい」と僕はリッ君を睨んで小さく首を振る。

　すると、あおいさんが、

「そういえば、私は二週間くらい前に〈月舟シネマ〉に行きましたけど」

　急に話題を変えて映画館の話になった。

「でも、その日はオーリィ君は来ていませんでした」

「ええ」

「それで、わたしは気になることがあって、あの映画館の青年に訊いたんです」

「僕のことをですか」

「いえ、そうじゃなくて、映画のことを。ここのところ〈月舟シネマ〉にかかる映画はどれもわたしの――なんと言ったらいいのかしら――わたしのよく知っている人が出てくる映画ばかりで」

ひと呼吸おいて僕はうなずき、それからまた「ええ」と小さく答えてうなずいた。

「それはあんまりおかしなことだから、あの青年に、ここのプログラムはあなたが決めていらっしゃるの、と訊いてみたんです」

「ええ」

リツ君がおそるおそるお茶に口をつけ、少し苦そうな顔をして僕とあおいさんの顔を見くらべていた。三つの湯呑みから三つの湯気がのぼり、部屋の中はいつになく静かで、僕のものなのか、それともあおいさんのものなのか、時計の針が刻む音だけが妙に大きく響いていた。

「あの、お茶が冷めちゃいます」

リツ君に言われてあわてて湯呑みを手に取ると、それがまるで合図であったかのように、隣の教会の鐘の音が聞こえてきた。

最初はいつもの鐘の音でしかなかったが聞くほどに耳の中で渦を巻くようで、これまで何度も聞いてきたはずなのに、いったい何を聞いていたのかと思うほど複雑な音色になり変わった。それが自分の体の中のどこかにある何かと共鳴して、聞いているというよりも、自分自身がいくつもの音を響かせていた。

僕とあおいさんはそれぞれにお茶を口にし、それぞれに「おいしい」と言い、それぞれに鐘の音を聞きながら、たぶん同じことを考えていた。

「わたしはね」

鐘が鳴り終わると、しばらくして、あおいさんが静かに言った。

「わたしは、オーリィ君のつくったスープを飲みたい」

リツ君が僕を見ていた。

僕は湯呑みを置き、レシピを書きとめたノートを開くと、テーブルから離れて、いつものスープ鍋を取り出した。

リツ君が森田君の宙返りの話を始め、あおいさんがそれを笑いながら聞いていた。

僕は腕時計をはずし、ふたりに気づかれぬよう時計の針を7分だけ進ませた。

午後4時58分を、午後5時5分に。

それが、正しい時間の流れから切り離されていても構わなかった。
この時間を忘れずにいること。
午後5時5分。
僕はまだ名前のないあたらしいスープをつくり始めた。

名なしのスープのつくり方

○期待をしないこと。
○どんなスープが出来上がるかは鍋しか知らない。
○鍋は偉い。尊敬の念をこめて洗い磨く。が、期待はほどほどに。
○磨いた鍋は空のまましばらく置く。すぐにつくり始めない。我慢をする。
○空の鍋に何か転がり込んでこないものかと、ほどほどの期待をする。
○しかし、すべては鍋に任せる。すると、鍋がつくってくれる。
○冷蔵庫を覗き、たまたまそのときあったものを鍋に放り込む。
○何でもいいが、好物のじゃがいもは入れておきたい。
○もちろん、じゃがいもでなくてもいい。これは外せないというものを何かひとつ。
○鍋に水を入れ、火をつけると、そのうち湯気がたつ。湯気もまた尊い。

○換気を忘れないこと。窓をあけて、ついでに外の様子を見る。
○晴れていようが、曇っていようが、雨だろうが、スープはどんな空にも合う。
○それも偉い。
○やがて、じゃがいもがくずれてとける。
○じゃがいも以外の諸君も、そのうちにとけ始める。
○とけて、我彼の区別がつかなくなったら、それで完成。
○本当は完成などないが、まぁ、いいや。
○熱いうちに食す。
○そして、冷めないうちに近所の誰それに。
○あるいは、思い出される人たちに。面倒なら、思い出すだけでもいい。
○これを、スープの冷めない距離という。
○この距離を保つのが、なかなか難しい。
○その訓練のためにスープをつくる——というのはタテマエ。
○ここに書いたことはすべて忘れ、ただひとこと念じればいい。
○とにかく、おいしい！

桜川余話——あとがきにかえて

ひとまず書き終えた物語の中を、未練がましくうろつき回るのは良くない癖だ。潔くないのは承知の上なので、背を丸め、声をひそめて桜川へ戻る。だが、町にはもう誰もいない。教会も、その隣のアパートも健在だが、ひとけが感じられない。

この町を初めて頭の中に描いたときを思い出した。そのときも、まだひとけはなく、登場人物たちの姿も声もなかった。

「僕がいま住んでるアパートは、窓をあけると目の前に教会の十字架が見えるんですよ」

この一言が最初のきっかけだった。これは本書の主人公が囁《ささや》いたのではなく、小説の外にある行きつけの床屋さんで聞いた言葉だ。いつも髪を切ってくれる美容師の彼が鏡ごしにそう言った。鏡の中の彼の話を聞き逃さなかったのは、彼の立ち居振る舞いからヒントを得て「流浪の床屋の物語」を構想していたからで、これはその後、『空ばかり見ていた』という連作短編集になった。ただ、「流浪の床屋」が十字架の見えるアパートに定住するわけにいかない。そこで、このイメージを起点にして、もうひとり別の主人公を生み出した。

『それからはスープのことばかり考えて暮らした』というタイトルは、かねてより準備され、当初はオムニバス風短編集になる予定だった。都市に暮らす人々のさまざまな日常を切り取り、それぞれ、最後にスープを飲むところで終わる話を書こうと企んでいた。都市生活に疲れた人たちに、「まぁ、とりあえず味噌汁でも飲んで、それからまた考えよう」と、単純にそれだけを伝えたかった。何かに行き詰まったり弱り果てたときは、とにかく温かいもので腹を充たすべし――というのがその当時の経験的な結論だった。

このふたつのイメージを抱えていたところへ、「暮しの手帖」から連載小説の依頼があった。さて――と頭の中を整理するうち、自然とふたつが呼び合ってひとつになった。オムニバスではなく連作に変更し、主人公が教会の隣のアパートに引っ越してくるところから始めようと、教会のある町を頭の中に描いた。
と、このとき、自分がすでに書いた別の小説――『つむじ風食堂の夜』が思い出された。この小説の舞台となる「月舟町」は、生まれ育った世田谷の赤堤をモデルにしている。赤堤は町名だが、駅でいうと、小田急線の豪徳寺駅と東急世田谷線の山下駅が最寄り駅になる。子供のときは世田谷線の運転手になるのが夢だった。そこで、小田急線のことは忘れて、路面電車の世田谷線だけが走る赤堤を「月舟町」と呼びかえた。

話が脱線するが、子供のときに通っていた赤堤小学校は、二年先輩に翻訳家の岸本佐知子さんが、四年先輩に評論家の坪内祐三さんが、一年下には翻訳家の鴻巣友季子さんがいた。(もちろん当時は普通の少年少女で、学年も違うので面識はない)

が、その後、岸本さんを「姉」と慕うようになり、二人で記憶を掘り起こしてみたところ、当時住んでいた家が同じ通りに面していたことが判明。その五百メートルほどしか離れていなかった距離の中ほどに「そういえば、教会があったよね」と岸本姉が思い出した。教会は十字路の角にあり、じつを言うと、この教会を食堂に差し替えたのが「つむじ風食堂」の正体である。

こうした脱線を含めた連想を経て、では、今度は食堂に差し替えてしまった教会を復活させ、月舟町の隣駅に移転しようと思いついた。ついでに「姉」も登場させよう。あの当時の風情が残る昔ながらの商店街も。

——ここまで決まったところで、たまたま空気公団というバンドの『音階小夜曲』なる曲を耳にした。歌詞が音階——ドレミ——だけで歌われる素朴な曲で、曲の最後に偶然にも教会の鐘の音が響く。聴くうちに、登場人物の声が聞こえて動き出した。以来、この曲を勝手にテーマソングに定め、聴くと条件反射のように路面電車が走る町の映像が浮かび、そこへキャストの名前が映像に重ねられていった。小説を書くというより、一回が三十分の連続テレビドラマを夢想し、頭の中で見たドラマを再現するように描いた。

そんなわけで、期せずしてこの小説は『つむじ風食堂の夜』の姉妹作になった。いや、正確に言うと、これは「月舟町・三部作」の二番目の物語になる。

ひとけのない桜川をさまよい、主人公の顰《ひそ》みに倣って隣駅の月舟町まで足をのばすと、たどり着いた〈月舟シネマ〉には誰もいないロビーに犬だけが残されていた。

何やら恨めしげにこちらを見あげている。

「どうした?」と訊いても応えない。無口で控え目な犬である。もしかして、のんびりしているだけかもしれないが、のんびりしているうちに取り残されてしまったのか。だとしたら、作者としては申し訳ない。何とかして、この犬からもうひとつ物語を始められないものか――と、いまいちど終わったばかりの物語を振り返ってみたところ、冒頭、オーリィ君が自己紹介をするくだりで、

「このごろは犬もレインコートを着るくらいだから」

とある。では、これをタイトルにしてしまおう。

『レインコートを着た犬』。

舞台はもちろん〈月舟シネマ〉。さっそく「三部作・完結編。近日公開、乞う御期待」と謳ったポスターをつくった。犬は、少々、満足げである。おまけに、町の掲示板にポスターを貼った途端、人々の気配がどこからか戻ってきた。

夕方になって町に灯がともり始め、新たな物語が始まろうとしている。

腹が減ってきた。スープもいいけれど、今夜はひさしぶりにあの十字路の食堂の暖簾をくぐってみようか――。

＊

最後に。

この小説を書く機会を与えてくださった暮しの手帖社の高野容子さん、そして、連載の第一回目が掲載された時点で——まだ単行本が出ていないのに——いち早く文庫化を希望してくださった中央公論新社の香西章子さん、ここ月舟町より「まだ名前のない犬」とともに感謝申し上げます。ありがとうございました。

二〇〇九年　初秋

吉田篤弘

単行本『それからはスープのことばかり考えて暮らした』
二〇〇六年八月　暮しの手帖社刊

中公文庫

それからはスープのことばかり考《かんが》えて暮《く》らした

2009年 9 月25日　初版発行
2024年 2 月25日　21刷発行

著　者　吉《よし》田《だ》篤《あつ》弘《ひろ》

発行者　安部順一

発行所　中央公論新社
〒100-8152　東京都千代田区大手町 1-7-1
電話　販売 03-5299-1730　編集 03-5299-1890
URL https://www.chuko.co.jp/

DTP　ハンズ・ミケ
印　刷　三晃印刷
製　本　小泉製本

Published by CHUOKORON-SHINSHA, INC.
Printed in Japan　ISBN978-4-12-205198-0 C1193

く-20-1
猫
クラフト・エヴィング商會
井伏鱒二／谷崎潤一郎 他

猫と暮らし、猫を愛した作家たちが思い思いに綴った珠玉の短篇集が、半世紀ぶりに生まれかわる。ゆったり流れる時間のなかで、人と動物のふれあいが浮かび上がる、贅沢な一冊。

205228-4

く-20-2
犬
クラフト・エヴィング商會
川端康成／幸田文 他

ときに人に寄り添い、あるときは深い印象を残して通り過ぎていった名犬、番犬、野良犬たち。彼らと出会い、心動かされた作家たちの幻の随筆集。

205244-4

う-9-4
御馳走帖
内田百閒《ひゃっけん》

朝はミルク、昼はもり蕎麦、夜は山海の珍味に舌鼓をうつ百閒先生の、窮乏時代から知友との会食まで食味の楽しみを綴った名随筆。〈解説〉平山三郎

202693-3

う-9-5
ノラや
内田百閒

ある日行方知れずになった野良猫の子ノラと居つきながらも病死したクルツ。二匹の愛猫にまつわる愛情と機知とに満ちた連作14篇。〈解説〉平山三郎

202784-8

う-9-6
一病息災
内田百閒

持病の発作に恐々としつつも医者の目を盗み麦酒をがぶがぶ……。ご存知百閒先生が、己の病、身体、健康について飄々と綴った随筆を集成したアンソロジー。

204220-9

う-9-10
阿呆の鳥飼
内田百閒

鶯の鳴き方が悪いと気に病み、漱石山房に文鳥を連れて行く……。『ノラや』の著者が小動物たちとの暮らしを綴る掌篇集。〈解説〉角田光代

206258-0

う-9-11
大貧帳
内田百閒

お金はなくても腹の底はいつも福福である——質屋、借金、原稿料……飄然としたなかに笑いが滲みでる。百鬼園先生独特の諧謔に彩られた貧乏美学エッセイ。

206469-0

お-51-1
シュガータイム
小川洋子

わたしは奇妙な日記をつけ始めた——とめどない食欲に憑かれた女子学生のスタティックな日常、青春最後の日々を流れる透明な時間をデリケートに描く。

202086-3

各書目の下段の数字はISBNコードです。978-4-12が省略してあります。

お-51-2
寡黙な死骸 みだらな弔い 小川洋子
鞄職人は心臓を採寸し、内科医の白衣から秘密がこぼれ落ちる…時計塔のある街で紡がれる密やかで残酷な弔いの儀式。清冽な迷宮へと誘う連作短篇集。
204178-3

お-51-3
余白の愛 小川洋子
耳を病んだわたしの前に現れた速記者Y、その特別な指に惹かれたわたしが彼に求めたものは。記憶と現実の危ういはざまを行き来する、美しく幻想的な長編。
204379-4

お-51-5
ミーナの行進 小川洋子
美しくて、かよわくて、本を愛したミーナ。あなたとの思い出は、損なわれることがない——懐かしい時代に育まれた、ふたりの少女と、家族の物語。谷崎潤一郎賞受賞作。
205158-4

お-51-6
人質の朗読会 小川洋子
慎み深い拍手で始まる朗読会。耳を澄ませるのは人質たちと見張り役の犯人、そして……。しみじみと深く胸を打つ、祈りにも似た小説世界。〈解説〉佐藤隆太
205912-2

お-51-8
完璧な病室 小川洋子
病に冒された弟と姉との時間を描く表題作他、デビュー短篇を含む最初期の四作収録。みずみずしい輝きを放ち、作家小川洋子の出現を告げる作品集。新装改版。
207319-7

か-61-1
愛してるなんていうわけないだろ 角田光代
時間を気にせず靴を履き、いつでも自由な夜の中に飛び出していけるよう…好きな人のもとへ、タクシーをぶっ飛ばすのだ！　エッセイデビュー作の復刊。
203611-6

か-61-2
夜をゆく飛行機 角田光代
谷島酒店の四女里々子には「ぴょん吉」と名付けた弟がいて……うとましいけれど憎めない、古ぼけてるから懐かしい家族の日々を温かに描く長篇小説。
205146-1

か-61-3
八日目の蟬《せみ》 角田光代
逃げて、逃げて、逃げのびたら、私はあなたの母になれるだろうか……。心ゆさぶるラストまで息もつがせぬ傑作長編。第二回中央公論文芸賞受賞作。〈解説〉池澤夏樹
205425-7

各書目の下段の数字はISBNコードです。978－4－12が省略してあります。

す-24-1
本に読まれて
須賀敦子
バロウズ、タブッキ、ブローデル、ヴェイユ、池澤夏樹……。こよなく本を愛した著者の、読む歓びが波のようにおしよせる情感豊かな読書日記。
203926-1

た-30-6
鍵　棟方志功全板画収載
谷崎潤一郎
妻の肉体に死をすら打ち込む男と、死に至るまで誘惑することを貞節と考える妻。性の悦楽と恐怖を限界点まで追求した問題の長篇。〈解説〉綱淵謙錠
200053-7

た-30-13
細雪（全）
谷崎潤一郎
大阪船場の旧家蒔岡家の美しい四姉妹を優雅な風俗・行事とともに描く。女性への永遠の願いを〝雪子〟に託す谷崎文学の代表作。〈解説〉田辺聖子
200991-2

た-30-27
陰翳礼讃
谷崎潤一郎
日本の伝統美の本質を、かげや隈の内に見出す「陰翳礼讃」「厠のいろいろ」を始め、「恋愛及び色情」「客ぎらい」など随想六篇を収む。〈解説〉吉行淳之介
202413-7

た-30-28
文章読本
谷崎潤一郎
正しく文学作品を鑑賞し、美しい文章を書こうと願うすべての人の必読書。文章入門としてだけでなく文豪の豊かな経験談でもある。〈解説〉吉行淳之介
202535-6

ほ-12-1
季節の記憶
保坂和志
ぶらりぶらりと歩きながら、語らいながら、うつらうつらと静かに時間が流れていく。鎌倉・稲村が崎を舞台に、父と息子の初秋から冬のある季節を描く。
203497-6

ほ-12-2
プレーンソング
保坂和志
猫と競馬とともに生きる、四人の若者の奇妙な共同生活。〝社会性〟はゼロに近いけれど、神の恩寵のような日々を送る若者たちを書いたデビュー作。
203644-4

ほ-12-10
書きあぐねている人のための小説入門
保坂和志
小説を書くために本当に必要なことは？　実作者が教える、必ず書けるようになる小説作法。執筆の裏側を見せる「創作ノート」を追加した増補決定版。
204991-8

ほ-16-1
回送電車　堀江敏幸
評論とエッセイ、小説。その「はざま」にある何かを求め、文学の諸領域を軽やかに横断する――著者の本領が発揮された、軽やかでゆるやかな散文集。
204989-5

ほ-16-2
一階でも二階でもない夜　回送電車Ⅱ　堀江敏幸
須賀敦子ら7人のポルトレ、10年ぶりのフランス長期滞在で感じたこと、なにげない日常のなかに見出した秘蹟の数々……54篇の散文に独自の世界が立ち上がる。〈解説〉竹西寛子
205243-7

ほ-16-5
アイロンと朝の詩人　回送電車Ⅲ　堀江敏幸
一本のスラックスが、やわらかい平均台になって彼女を呼んでいた――。ぐいぐいと、そしてゆっくりと、読み手を誘う四十九篇。好評「回送電車」シリーズ第三弾。
205708-1

ほ-16-6
正弦曲線　堀江敏幸
サイン、コサイン、タンジェント。この秘密の呪文で始動する、規則正しい波形のように――暮らしはめぐる。思いもめぐる。第61回読売文学賞受賞作。
205865-1

ほ-16-7
象が踏んでも　回送電車Ⅳ　堀江敏幸
一日一日を「緊張感のあるぼんやり」のなかで過ごしたい――異質な他者や、曖昧な時間が行きかう時空を泳ぐ、初の長篇詩と散文集。シリーズ第四弾。
206025-8

ほ-16-3
ゼラニウム　堀江敏幸
彼女と私の間を、親しみと哀しみを湛えて、清らかな水が流れていく――。異国に暮らした男と個性的で印象深い女たちの物語。ほのかな官能とユーモアを湛えた珠玉の短篇集。
205365-6

よ-25-1
TUGUMI　吉本ばなな
病弱で生意気な美少女つぐみと海辺の故郷で過した最後の日々。二度とかえらない少女たちの輝かしい季節を描く切なく透明な物語。〈解説〉安原　顯
201883-9

よ-25-2
ハチ公の最後の恋人　吉本ばなな
祖母の予言通りに、インドから来た青年ハチと出会った私は、彼の「最後の恋人」になった……。約束された至高の恋。求め合う魂の邂逅を描く愛の物語。
203207-1

各書目の下段の数字はISBNコードです。978－4－12が省略してあります。

よ-25-3
ハネムーン
吉本ばなな
世界が私たちに恋をした——。別に一緒に暮らさなくても、二人がいる所はどこでも家だ……互いにしか癒せない孤独を抱えて歩き始めた恋人たちの物語。
203676-5

よ-25-4
海のふた
よしもとばなな
ふるさと西伊豆の小さな町は海も山も人もさびれてしまっていた。私はささやかな想いと夢を胸に大好きなかき氷屋を始めたが……。名嘉睦稔のカラー版画収録。
204697-9

よ-25-5
サウスポイント
よしもとばなな
初恋の少年に送った手紙の一節が、時を超えて私の耳に届いた。〈世界の果て〉で出会ったのは……。ハワイ島を舞台に、奇跡のような恋と魂の輝きを描いた物語。
205462-2

よ-25-6
小さな幸せ46こ
よしもとばなな
最悪の思い出もいつか最高になる。両親の死、家族や友との絆、食や旅の愉しみ。何気ない日常の中に幸せを見つける幸福論的エッセイ集。タムくんの挿絵付き。
206606-9

よ-43-2
怒り（上）
吉田修一
逃亡する殺人犯・山神はどこに？　房総の港町で暮らす愛子、東京で広告の仕事をする優馬、沖縄の離島へ引越した泉の前に、それぞれ前歴不詳の男が現れる。
206213-9

よ-43-3
怒り（下）
吉田修一
田代が偽名を使っていると知った愛子、知らない女とカフェにいる直人を見た優馬、田中が残したものを発見した泉。三つの愛の運命は？　衝撃のラスト。
206214-6

よ-43-4
新装版　静かな爆弾
吉田修一
テレビ局に勤める俊平と耳の不自由な響子。音のない世界に暮らす君に、この気持ちを伝えたい。言葉にならない思いが胸を震わす恋愛小説。〈解説〉宇垣美里
207185-8

よ-43-5
おかえり横道世之介
吉田修一
横道世之介、バブル最後の売り手市場に乗り遅れた二十四歳。人生のダメな時期にあっても、彼の周りには笑顔が絶えない。〈巻末対談〉沖田修一×高良健吾
207213-8